TRISTESSE DE LA TERRE

DU MÊME AUTEUR

Le Chasseur, Michalon, 1999.
Bois vert, Léo Scheer, 2002.
Tohu, Léo Scheer, 2005.
Conquistadors, Léo Scheer, 2009 ; Babel n° 1330.
La Bataille d'Occident, Actes Sud, 2012 ; Babel n° 1235.
Congo, Actes Sud, 2012 ; Babel n° 1262.
Tristesse de la terre, Actes Sud, 2014.
14 juillet, Actes Sud, 2016.

© ACTES SUD, 2014
ISBN 978-2-330-06558-4

ÉRIC VUILLARD

TRISTESSE DE LA TERRE

UNE HISTOIRE DE BUFFALO BILL CODY

récit

BABEL

à Stéphane Tiné
et Pierre Bravo Gala

LE MUSÉE DE L'HOMME

LE SPECTACLE est l'origine du monde. Le tragique se tient là, immobile, dans une inactualité bizarre. Ainsi, à Chicago, lors de l'Exposition universelle de 1893 commémorant les quatre cents ans du voyage de Colomb, un stand de reliques, installé dans l'allée centrale, exposa le cadavre séché d'un nouveau-né indien. Il y eut vingt et un millions de visiteurs. On se promenait sur les balcons de bois de l'Idaho Building, on admirait les miracles de la technologie, comme cette colossale *Vénus de Milo* en chocolat à l'entrée du pavillon de l'agriculture, et puis on se payait un cornet de saucisses à dix *cents*. D'innombrables bâtiments avaient été construits, et cela ressemblait à une Saint-Pétersbourg de pacotille, avec ses arches, ses obélisques, son architecture de plâtre empruntée à toutes les époques et à tous les pays. Les photos en noir et blanc que nous en avons donnent l'illusion d'une ville extraordinaire, aux palais bordés de statues et de jets d'eau, aux bassins où descendent lentement des escaliers de pierre. Pourtant, tout est faux.

Mais le clou de l'Exposition universelle, son apothéose, ce qui devait attirer le plus de spectateurs, ce furent les représentations du *Wild West Show*. Tout le monde voulait le voir. Et Charles Bristol aussi – le propriétaire du stand de reliques indiennes qui exhibait le cadavre d'enfant – voulait tout laisser là pour y aller ! Pourtant, il le connaissait ce spectacle, puisqu'au tout début de sa carrière, il avait été *manager* et costumier pour le *Wild West Show*. Mais ce n'était plus pareil, c'était à présent une énorme entreprise. Il y avait deux représentations par jour, pour dix-huit mille places. Les chevaux galopaient sur un fond de gigantesques toiles peintes. Ce n'était plus cette vague succession de rodéos et de tireurs d'élite qu'il avait connue, mais une véritable mise en scène de l'Histoire. Ainsi, pendant que l'Exposition universelle célébrait la révolution industrielle, Buffalo Bill exaltait la conquête.

Plus tard, bien plus tard, Charles Bristol avait travaillé pour la Kickapoo Indian Medicine Company, qui employait à peu près huit cents Indiens et une cinquantaine de Blancs à vendre sa camelote. Son médicament phare était le Sagwa, un mélange d'herbes et d'alcool contre les rhumatismes ou la dyspepsie. Et il semblerait que les cow-boys aient particulièrement souffert de ballonnements et de dyspepsie borborique, puisqu'un peu partout dans le pays on cherchait un remède. Enfin, Charles Bristol abandonna la vente de médicaments et entreprit de longues tournées avec sa collection d'objets d'art. Deux Indiens winnebagos, qui faisaient partie de la Medicine Company, avaient décidé de le suivre. Le musée se produisit dans le Middle West, et les petits *sketchs* qu'il présentait, où les Indiens illustraient par des danses le rôle précis de chaque objet, étaient à la fois divertissants et pédagogiques.

Fin 1890, trois ans à peine avant l'Exposition universelle, Charles Bristol avait fait équipe avec un paumé du nom de Riley Miller. Une fois Bristol acoquiné avec Riley, on ne peut plus croire la légende. Jusqu'ici, les trésors accumulés par Bristol l'auraient été, d'après lui, grâce à ses amitiés indiennes – une longue série de petits cadeaux. Mais Riley Miller était un assassin et un voleur. Il scalpait et déshabillait les Indiens morts, il les assassinait puis il leur prenait leurs mocassins, leurs armes, leurs tuniques, leurs cheveux, tout. Hommes, femmes ou enfants. Une partie des reliques exposées par Bristol à la foire de Chicago venait de là. Plus tard, le musée historique du Nebraska achètera les collections de Charles Bristol ; et de nos jours, on trouve peut-être quelque part, dans les réserves du musée, l'enfant indien desséché de l'Exposition. On voit par là que le spectacle et les sciences de l'homme commencèrent dans les mêmes vitrines, par des curiosités recueillies sur les morts. Ainsi, de nos jours, sur les rayonnages des musées, partout dans le monde, on ne trouve rien d'autre que des dépouilles, des trophées. Et ce que nous y admirons d'objets nègres, indiens ou asiates fut dérobé sur des cadavres.

QUELLE EST L'ESSENCE
DU SPECTACLE ?

Revenons un petit peu en arrière, quelques années avant l'Exposition universelle de Chicago, et voyons d'un peu plus près ce formidable *Wild West Show*. Quelle puissance attractive peut donc amener chaque jour quarante mille personnes à venir voir ce spectacle ? Par quelle déclivité de leur vie fuyante glissent-elles jusqu'à la grande arène où des cavaliers galopent en hurlant dans des décors de carton ? C'est dix ans avant l'Exposition que Buffalo Bill avait mis sur pied son spectacle ; la chose s'était toutefois faite progressivement, en agrégeant, au coup par coup, des numéros les uns aux autres. Une première version ne fut sans doute rien d'autre qu'une monotone succession de rodéos, mais Buffalo Bill n'en resta pas là. Lui, l'ancien ranger monté sur scène, il allait révolutionner l'art du divertissement, il allait en faire *quelque chose d'autre*. Alors, Buffalo Bill traîna son cirque de ville en ville, améliorant les numéros, recrutant de nouvelles vedettes ; mais, à mesure qu'il évoluait, le *Wild West Show* obtenait une autre forme de succès ; ce n'était plus seulement un cirque, ce n'était plus une troupe de saltimbanques qui montait sur les planches, non, c'était quelque chose de neuf. Pourtant, à bien y regarder, tout ça était assez décousu, une suite de petites saynètes ; et puis il n'y avait rien de très extraordinaire, pas de monstres, pas de figures horribles ; alors quoi ?

Du mouvement et de l'action. La réalité elle-même. Oui, juste des chevaux qui galopent, des batailles reconstituées, du suspense, des types qui tombent morts et se relèvent. Tout y était. Et le public venait toujours plus nombreux, applaudissant, riant, criant, tout entier captivé, fasciné ; comme si le monde avait été créé dans un roulement de tambour.

Mais la petite étincelle était encore ailleurs. L'idée centrale du *Wild West Show* était ailleurs. Il fallait stupéfier le public par une intuition de la souffrance et de la mort qui ne le quitterait plus. Il fallait le tirer hors de lui-même, comme ces petits poissons argentés dans les épuisettes. Il fallait que devant lui des silhouettes humaines poussent un cri et s'écroulent dans une mare de sang. Il fallait de la consternation et de la terreur, de l'espoir, et une sorte de clarté, de vérité extrême jetées sur toute la vie. Oui, il fallait que les gens frémissent – le spectacle doit faire frissonner tout ce que nous savons, il nous propulse devant nous-mêmes, il nous dépouille de nos certitudes et nous brûle. Oui, le spectacle brûle, n'en déplaise à ses détracteurs. Le spectacle nous dérobe et nous ment et nous grise et nous offre le monde sous toutes ses formes. Et, parfois, la scène semble exister davantage que le monde, elle est plus présente que nos vies, plus émouvante et vraisemblable que la réalité, plus effrayante que nos cauchemars.

Et pour attirer le public, pour provoquer chez lui ce désir de venir voir toujours plus nombreux le *Wild West Show*, il fallait qu'on lui raconte une histoire, celle que des millions d'Américains d'abord, puis d'Européens avaient envie d'entendre, la seule qu'ils voulaient entendre et qu'ils entendaient déjà dans le crépitement des ampoules électriques, sans peut-être le savoir.

Les hommes des villes américaines, cette nouvelle espèce d'hommes dont l'inquiétude semble n'interroger obstinément qu'eux-mêmes, rien qu'eux-mêmes, qui tout au fond de leur angoisse éprouvent le sentiment d'être à part, d'avoir été désignés par le génie du progrès pour se saisir du flambeau de l'humanité et le tenir plus haut qu'il ne le fut jamais, eh bien, ces hommes des villes américaines voulaient être témoins d'autre chose, ils voulaient traverser en imagination les Grandes Plaines, franchir les gorges du Colorado et connaître la vie des pionniers. Cela peut paraître étrange, mais c'est qu'à travers la vie des pionniers, à travers le récit tourmenté de leur migration, les citoyens des jeunes villes américaines désiraient assister en direct à leur propre Histoire, à ce grand déploiement de courage et de violence qui, à quelques milliers de kilomètres, avait encore lieu.

Tout cela est bien beau, mais en réalité, Buffalo Bill savait, par un remugle de la foule ou une effluence de l'âme, il savait que ce n'étaient pas les garçons vachers ou les tireurs d'élite que le public venait voir. Non. La force de son spectacle (et sans doute ne comprenait-il pas vraiment d'où elle venait), l'idée dont il tirait son authentique substance, ce qui le rendait irrésistible, c'était la présence des Indiens, de véritables Indiens. Oui, les gens ne venaient sans doute que pour ça. Oh! ils l'ignoraient eux-mêmes bien sûr, car la plupart d'entre eux méprisaient les Indiens. Mais c'était bel et bien pour les voir, et seulement pour ça, qu'ils se saignaient aux quatre veines et prenaient un billet à chaque membre de la famille et s'asseyaient, bien sagement, en rang, sur les gradins. Il fallait donc que Buffalo Bill en montre, des Indiens. Et pour qu'un tel spectacle prospère, il devait dénicher sans cesse de nouvelles vedettes.

Pour cela, il y avait, hormis Buffalo Bill lui-même, le major John Burke, son imprésario. Comme la plupart de ceux qui portaient manchettes en ce temps-là, le major John Burke n'était pas du tout major. On le trouve parfois cité sous le nom d'Arizona John, quoiqu'il ne soit, non plus, jamais allé en Arizona. C'était juste un margoulin de la pire espèce. À cette époque, le premier zozo venu pouvait fonder une ville, devenir général, homme d'affaires, gouverneur, président des États-Unis ; c'est peut-être encore le cas. Et lui, John Burke, avait senti venir la grande machine du spectacle, et il était devenu l'attaché de presse de Buffalo Bill, son agent publicitaire. Il fut le plus grand agent et le plus farfelu de tous. Lui qui avait été journaliste, courtier, directeur d'une troupe d'acrobates, grâce à une rencontre parfaite de l'homme avec son temps, il inventa le *show-business*.

UN ACTEUR

L A CIVILISATION est une énorme bête
insatisfaite. Elle se nourrit de tout.
Elle a besoin de poivre, de thé, de charbon,
d'étain. On ne la contente jamais. La civilisation réclame aussi des nourritures moins
matérielles, mais elle se lasse vite. Il lui faut
sans cesse de nouvelles recrues, de nouvelles
têtes. Ainsi fallait-il que le *Wild West Show*
embauche régulièrement d'autres acteurs. Et
pour cela, il y a mieux que les artistes, mieux
que les meilleurs acrobates, mieux que n'importe quelle bizarrerie de la nature. Il y a les
vrais protagonistes de l'Histoire. Imaginez
un peu ! On peut toujours se payer un jon-
gleur pour épater le public, on peut toujours
dénicher un bossu ou des siamoises et attirer
les curieux. Mais faire venir des dizaines de
milliers de personnes chaque jour, faire payer
un dollar et des poussières à quinze mille, à

vingt mille personnes matin et soir pendant des années, ça demande autre chose que des jongleurs et des bossus, ça demande quelque chose d'inouï. Et voilà pourquoi, en 1885, le vieux chef indien Sitting Bull, vainqueur de Little Big Horn, après plusieurs années d'exil, puis d'emprisonnement, reçut un matin la visite de John Burke.

Le grand mammifère était venu seul. Il faisait un temps radieux. Tandis qu'il trônait haut perché sur son phaéton à ressorts, entre deux soubresauts, John Burke avait bien médité son affaire. La route était certes un peu capricante pour un homme de sa corpulence, les dos-d'âne et les nids-de-poule lui avaient valu bien des misères. Il avait longé en soupirant une très longue allée de saules, puis il avait pris encore un petit chemin coupant une trop large plaine. Mais quoique très éprouvé par ce voyage, dès son arrivée, il s'était montré aimable, détendu. Oui, il était venu la bouche pleine de pieusetés, avec de petits cadeaux et le ciel bleu. Il offrit un cigare à l'Indien, qui n'en voulut pas. Il fuma donc seul son calumet de nabab, devant le vieil Indien muet. Après les salutations d'usage, où se livre déjà une guerre sournoise et féroce, John Burke se lança dans un long discours tarabiscoté, plein de dédales et de crochets. Entre deux compliments, il recoiffait ses cheveux, il les rencognait en arrière, vissés à ses oreilles. Mais le vieil Indien se taisait obstinément. Et après un petit quart d'heure de bavardage, John Burke comprit que ses louvoiements ne servaient à rien ; Sitting Bull semblait réticent, mieux valait courir au but.

Depuis longtemps, le chef indien savait que l'homme blanc lui offrait toujours de nouveaux visages et qu'aucun de ces visages ne devait le tromper ; tous étaient intéressés. À la panoplie de ceux qu'il connaissait – trappeurs, soldats, pionniers, garçons vachers, vendeurs d'alcool –, voici qu'allait s'ajouter celui d'imprésario. Mais Sitting Bull avait déjà une petite expérience du *showbiz* ; il avait été, l'année précédente, exposé parmi les figures de cire d'un musée de New York. Une fois que le flot de bonnes paroles fut tari, il négocia donc avec John Burke cinquante dollars par semaine, plus une avance, des bonus, toutes les dépenses aux frais de l'imprésario et, surtout, codicille qu'il fit expressément ajouter : il conserverait le droit exclusif de vendre ses photos et de disposer de ses autographes. John Burke n'avait pas discuté longtemps ; car Sitting Bull était une attraction de choix pour le *Wild West Show*. On avait donc signé le contrat, et le chef indien s'était joint à la troupe.

La première mise en scène fut une séance de pose. On escorta Sitting Bull et Buffalo Bill jusqu'au petit écrin où ils devaient, les pieds sur un tapis de paille, se tenir devant un maigre bouleau badigeonné sur une toile, censée représenter l'Ouest sauvage. Sitting Bull paraît un peu mal à l'aise dans ce décor, comme un vestige déplacé de la Création.

Soudain, on ne bouge plus, ou à peine, et pendant quelques instants, pendant la miette de temps qu'il faut aux petites paillettes de lumière pour se rabâcher sur la grande plaque chimique, Sitting Bull et Buffalo Bill se serrent la main. Le photographe disparaît derrière son rideau de théâtre, et Sitting Bull sent une profonde solitude qui le repousse dans cette zone froide, abandonnée, où l'on se tient figé aussi longtemps que durent nos reliques. À cet instant, il oublie tout. Même ses frères morts, il les oublie. Les tipis, les champs, les campements, les longs voyages, il oublie tout. La rivière emporte ses souvenirs dans un grondement d'écume. Mais tandis que les rayons traversent la futaie, ce n'est pas seulement son buste raide, son profil durci et dénudé qui se pétrifie comme un grand vaisseau nostalgique. On dirait que là, dans cette photographie, quelque chose l'attendait. Il se tient à bout portant, dans la confusion de soi, devant le petit accordéon de cuir et le capuchon noir. Attention ! La poire est levée, la main presse. Par le petit trou, son âme le regarde. Poum. C'est fait. Les silhouettes du vieil Indien et de Buffalo Bill flottent quelques instants dans la gélatine, parmi les atomes d'argent. Puis les voici fixées sur des cotillons de papier de dix-sept centimètres sur douze, pour l'éternité. Sur cette célèbre photographie, Sitting Bull et Buffalo Bill se tiennent la main pour toujours. Pourtant, non seulement cette poignée de main ne veut rien dire – ce n'est rien d'autre qu'un coup de pub –, mais pour servir l'opération promotionnelle, le cliché devait témoigner de deux éléments contradictoires : la réconciliation des peuples et la supériorité morale et physique des Américains. C'est ainsi que, sur cette photographie, Buffalo Bill bombe démesurément le torse afin de paraître plus digne. Il se tient très droit, la jambe gauche légèrement en avant, la tête haute, royal, toisant l'Indien. Sitting Bull, les yeux dans le vide, se contente de tendre la main. Le progrès triomphe. On les regarde un peu perplexe.

Je ne sais pas dans quelle ville des États-Unis eut lieu la première apparition sur scène de Sitting Bull, où débuta sa carrière d'acteur ; mais le spectacle ne variait pas beaucoup. Tout d'abord, on entonne *La bannière étoilée*, quand soudain, Buffalo Bill paraît ; il est à cheval, le bras levé, et tient à la main son chapeau. Autour de lui, des Indiens et des cow-boys à cheval défilent. Coup de trompette. Alors, celui que tout le monde attend entre dans l'arène. Car le clou du spectacle n'est pas un spectacle, c'est la réalité. Oui, il n'y a rien de mieux ! C'est une chose extravagante, la réalité, elle est partout et nulle part ; et depuis quelque temps on dirait qu'elle fane, c'est curieux, on ne sait pas l'expliquer, elle est toujours là, mais elle semble avoir perdu de sa consistance. Tout ce sur quoi elle paraissait faire fond est soudain bousculé, changé, meurtri, ouvert. On ne reconnaît plus rien ; tout semble entraîné par la vitesse, l'argent, les échanges ! Et on ne sait quelle image ancienne, rêvée, nous remplit de regrets. Mais que regrette-t-on ? Quelle société ? Quel idéal ? Quelle douceur ?

Et voici que le spectacle commence. Un Indien entre dans l'arène ; c'est le vainqueur de Little Big Horn. Il porte son plus beau costume. "*Ladies and gentlemen*, puis-je vous présenter le grand chef indien...", vocifère Frank Richmond depuis sa tribune.

Sitting Bull n'a sans doute jamais été si seul qu'à cette minute, au milieu des drapeaux américains, dans la grande machine à divertir. Il n'était pas aussi seul lorsqu'il vivait en exil au Canada, parmi une poignée de proscrits ; l'obscurité première est impénétrable. Et certes, on était seul à cheval, sous la pluie glacée, errant entre les formes imprécises, dans la grande forêt. Oui, on était seul et triste, mais on était libre, on était plein d'une haine brûlante. Et maintenant Sitting Bull est seul dans l'arène ; la grande chose qu'il aimait est restée en arrière, très loin. Et, ici, dans les gradins, ils ne sont venus que pour ça, tout le monde est venu voir ça, simplement ça : la solitude.

Auparavant, les Américains, et tous les Occidentaux du monde, n'avaient jamais rien vu. Ils n'avaient jusqu'à présent rien vu d'autre que leurs rêves. Oui, jusqu'à présent, depuis les tréfonds de l'Histoire, ils n'avaient entendu parler que de Jugurtha et de ses Numides, d'Arabes à cheval, de Chinois aux nattes trop longues, ennemis lointains. Mais voici que la boule de cristal éclate, et que l'avenir vole en poussière. La vieille fable est terminée. À présent commence le premier épisode du feuilleton, la saison de nos triomphes. Le voile se déchire, la robe flambe. Le temps de compter jusqu'à un et nous serons les maîtres du monde.

C'est alors que fusent les sifflets, les huées. Sitting Bull reste impassible, il effectue son tour de piste. Pas un instant on n'a songé lui faire jouer un épisode des guerres indiennes, un quelconque moment de sa vie : une simple parade devait suffire. Il n'y a pas d'Histoire possible. Le passé est entouré de gradins, et les spectateurs veulent voir ses fantômes. C'est tout. Ils ne veulent pas les entendre. Ils ne veulent pas leur parler. Ils veulent les voir. Ils veulent écarter un instant le rideau et voir l'Indien.

Que voyons-nous ? Qu'entendons-nous ? Quel mensonge épelle la bouche de mort ?

Quelle est cette voix qui parle ? Quelle est cette fausse parole qui nous dicte nos sentiments ? On dirait qu'elle vient de très profond, du fin fond de nos entrailles de larves, on l'écoute d'une oreille distraite, et on se laisse entraîner impuissants vers les précipices.

La foule hurle, l'insulte. On crache. La voilà, la chose inouïe, le Peau-Rouge, celui qu'on est venu voir, la bête curieuse qui a rôdé autour de nos fermes, à ce qu'on raconte ; c'est lui ! Depuis les coulisses, Buffalo Bill fait signe à Frank Richmond, qui tente de calmer les spectateurs. Mais rien à faire, le chef indien doit accomplir son tour de piste sous les injures, jusqu'au bout. Le vacarme est extraordinaire. Les journalistes photographient. Les enfants regardent éberlués. Et Sitting Bull sort lentement de l'arène.

BUFFALO BILL
EN ALSACE-LORRAINE

MAIS QUI était donc Buffalo Bill, créateur et présentateur vedette du *Wild West Show* ? On dit qu'il avait une carrure de bûcheron et des mains d'artiste, des mains très délicates, presque trop fines, ce qui dénote – comme nous l'enseignent les sciences mystérieuses – une prédisposition à la folie. Et toute sa vie, en effet, Buffalo Bill Cody connaîtra des moments de profond découragement, des déprimes sévères. Il avait beau avoir empoché des dollars à la pelle, des salves d'applaudissements, aussitôt le rideau tombé, il se retrouvait seul. Et à peine était-il démaquillé, dans sa vieille grotte de saltimbanque, qu'il éprouvait une horrible angoisse. Devant le miroir, tandis qu'il se peigne mécaniquement, après avoir retiré son stetson pour la millième fois, il lui arrive d'éprouver un pincement affreux dans la poitrine – comme s'il était tout entier fait de vide.

À cette époque, le corps de Buffalo Bill est déjà un pur produit de *marketing*, une sorte de simulacre. On ne sait plus qui se cache derrière cette débauche de publicité. Quant à ce que pouvait penser l'entrepreneur de spectacles, la superstar qu'il était devenu, c'est encore plus difficile à savoir. Il n'est pourtant pas de ceux qui n'ont pas laissé de traces, mais l'excès est une autre épreuve que le manque, et si l'archéologie est la science des vestiges, il n'existe pas encore de recherches sur *ce qu'on a trop vu*. Le plus étrange dans cette affaire, c'est ce qu'elle a de plus banal. Buffalo Bill jouait et rejouait sans cesse, selon les mêmes codes, avec le même entrain, les mêmes scènes insignifiantes. Le succès est un vertige. La répétition doit avoir je ne sais quelle vertu rassurante, je ne sais quelle puissance d'hypnose ou de vérité. Héros d'innombrables fanzines, dont il ignora au départ l'existence, sa vie fut façonnée par d'autres. Il n'a décidé ni de son nom ni de son histoire. Vers 1867, alors qu'il bossait pour le chemin de fer, les employés lui donnèrent ce surnom, Buffalo Bill. Puis il raconta ses aventures, par hasard, entre deux coups de gnôle, à Ned Buntline, qui en fit un roman bon marché. Et ce récit d'arsouille, boniment, carotte, tissu d'escobarderies destinées à se faire payer encore un verre, était devenu le thème d'un feuilleton. Et d'épisode en épisode, le personnage de Buffalo Bill, mélange des fanfaronnades d'une nuit et des multiples rallonges, suffixes et incréments ajoutés au fil des pages par Buntline, avait obtenu une sorte de notoriété. Plus tard, Buffalo Bill apprendra qu'un acteur, Jason Ward, tient son rôle sur les planches et que son personnage est devenu célèbre. Il n'a donc décidé de rien. Sa vie lui échappe. La grande puissance contrefactrice l'aspire à elle, le duplique, le corrige. Enfin, on l'encourage à jouer son rôle lui-même. C'est ainsi qu'il monte sur scène, vêtu de costumes de fantaisie, afin de se conformer à son personnage. Il s'imite. Il deviendra lentement celui qu'il joue. Sa vie sera la parodie de sa vie, en quelque sorte, une autre vie fabriquée, promise à d'autres. L'illusion était d'ailleurs si puissante, le public si conquis, qu'il paraît que des acteurs du *show*, qui n'avaient pourtant jamais mis les pieds dans l'Ouest et n'avaient jamais tiré que des balles à blanc, finirent par croire aux boniments qu'ils contaient, aux aventures qu'ils mimaient. Ainsi, on raconte que Buffalo Bill, ayant joué des dizaines et des dizaines de fois une mise en scène de la bataille de Litte Big Horn, croyait vraiment, à la fin de sa vie, y avoir participé. Pour les besoins du spectacle, on avait même été jusqu'à en modifier le dénouement, le public préférant un *happy end*. C'est ainsi qu'après des années passées à interpréter avec succès cette version revue de la grande Histoire, Buffalo Bill était persuadé d'avoir sauvé Custer !

Mais la vraie vie est toujours là. Elle nous revient avec chaque goutte de pluie, dans le mystère inconsistant des choses. J'imagine que dormant dans toutes sortes d'hôtels, ou dans son train spécial, avec salon, billard, cuisines et salle de bains, Buffalo Bill sirote un verre, lorsque de grands nuages enténèbrent le wagon. Un instant, il se penche à la fenêtre, et il devine, loin devant, la locomotive énorme, haute et toute noire. Le visage giflé par le vent, il entend l'affreux ronronnement de la machine. Tournant la tête, il aperçoit les larges étendues incultes, des herbes jaunes, les restes d'une forêt toute hérissée de sapins morts. Il se rassied, les yeux rôtis par la fumée. Il songe à tous ces gens qui vont et viennent, qu'il engage puis remercie, comme s'il piochait et tripotait une sache de sel. Et tandis que ses doigts flottent entre les miettes, sur la table, parmi ses petits soucis d'entrepreneur, les difficultés de dernière minute qu'il n'a pas encore résolues, se lève comme un obscur remords.

La fièvre était montée. Louisa avait veillé toute la nuit. Ça avait commencé par des douleurs au ventre ; et après avoir un peu pleuré, au début, il s'était contenté de dire où il avait mal et de gémir. On lui avait fait boire de l'eau tiède, on l'avait assis dans son petit lit, et il s'était mis à vomir. Alors on avait eu très peur et on avait envoyé chercher le médecin. Buffalo Bill était en tournée, loin de North Place. Louisa avait dû se sentir bien seule. Voilà à quoi il pensait quelquefois dans sa loge. Il revoyait les grosses jambes de cette actrice qu'il avait fait monter dans sa chambre ce soir-là ; mais pouvait-il savoir que son fils était malade ? Et qu'est-ce que ça aurait changé ! L'éclair d'une pensée, le visage du petit Kit trouait l'obscurité où toutes nos pensées vivent et meurent, et il était terriblement triste et angoissé. Puis l'instant d'après, c'était Josepha, l'actrice, dont le prénom lui revenait, et comment il était resté assis devant elle à lui pétrir les seins, pendant qu'elle haletait et fourrait sa langue dans sa bouche et le faisait jouir.

Et puis, il continuait à boire, la brèche était ouverte, il avait soif, perdu dans son éternité. Soudain, il repensait à Louisa lorsqu'elle était toute jeune. Comme elle était fine et jolie ! Il repensait à elle, à cette jeune femme qu'il avait aimée et il se demandait ce qui leur était arrivé. Il se demandait ce qui avait lentement fait de la jolie fille de Saint Louis, aux manières douces, gracieuses, cette femme triste et dure. Oui, sans doute qu'entre deux représentations du *show*, quand il se relevait de sa petite sieste, l'après-midi, fatigué, le visage fripé par le sommeil, où les plis de l'oreiller avaient laissé leurs balafres éphémères, dans cette grisaille étrange du réveil au milieu du jour, il repensait au petit garçon. Kit Carson Cody, son fils, portait le nom d'un éclaireur célèbre, comme si la vie et l'aventure devaient toujours faire, pour lui, une seule et même chose. Et puis il entendait sa petite voix. Car les voix demeurent en nous plus longtemps que le reste. Ah ! si j'avais été là ! se lamentait-il, et il reprenait alors son petit refrain amer contre sa femme, sa mauvaise foi de père ou d'ivrogne.

Il avait continué de voyager, se brûlant au succès, courant aux quatre coins de l'Amérique porter la bonne parole. Il avait été partout dans le monde, à Paris, à Londres et même jusqu'à Rome. Et enfin, ayant traîné son chagrin et sa gloire tout au bout de la terre, jusque devant le Colisée, là où Néron fit martyriser les chrétiens, Buffalo Bill demanda l'autorisation d'y monter son spectacle. On la lui refusa. Ironie du sort, le Colisée n'était pas assez grand.

C'est ainsi que, de gare en gare, bien après l'Italie, après d'innombrables autres représentations, la troupe, qui avait traversé l'Atlantique et parcouru l'Europe, était un beau jour arrivée à Nancy. Il avait fallu plusieurs bateaux pour traverser l'océan. Les cales contenaient 1 200 pieux, 4 000 mâts, 30 000 mètres de cordage, 23 000 mètres de toile, 8 000 sièges, 10 000 pièces de bois et de fer, et tout ça devait former une centaine de chapiteaux éclairés par trois dynamos et surplombés par tous les drapeaux du monde. La troupe comptait huit cents personnes, cinq cents chevaux de selle et des dizaines de bisons. On aurait dit une autre arche de Noé. Les bisons tanguaient dans leurs box au rythme de la houle et dégueulaient dans leurs mangeoires ; ils avaient le mal de mer.

Enfin, on s'installa tout au bout du boulevard, au bord d'un grand chemin. Les tentes et les gradins furent montés en quelques heures. L'équipe était rodée. Buffalo Bill décida de donner deux séances par jour, une à quatorze heures, l'autre à vingt heures. Ah ! pour un franc soixante-cinq, comme ils durent être heureux les petits gamins de Nancy et de Bar-le-Duc ! Comme ils durent être subjugués par les bisons, ces aurochs inconnus qu'on avait seulement vus en dessin dans le *Larousse universel*. On rentrait en tramway de Jarville à la place Carnot, puis on se dispersait dans les rues de l'hiver. C'était presque Noël, les vitrines étaient éclairées, les marchands de marrons hurlaient, ça sentait bon, on rêvait, on avait acheté quelques cartes postales pour les grands-parents. C'est qu'on avait vu Annie Oakley tirer à la carabine et pulvériser des centaines de boules de verre comme une nuée de rêve ; et on avait pris cela pour le rêve lui-même.

En principe, Buffalo Bill ordonnait que l'on démonte le camp aussitôt joué le dernier spectacle. Cela se faisait en moins d'une heure, comme si on remballait un étal de marché ; et puis on partait sans traîner pour l'étape suivante. Mais à Nancy, il avait appris qu'une agitation inquiétante régnait dans le Dakota du Sud. On racontait que les Indiens étaient en train de s'y révolter.

Il réunit sans doute ses employés et leur donna toutes sortes de consignes ; et après un marchandage qu'il sembla pressé de conclure, il loua un petit château où la troupe pourrait patienter. Et puis, une fois distribués quelques ordres et organisé leur séjour, Buffalo Bill mit aussitôt le cap sur Londres et rentra le plus vite qu'il put aux États-Unis. La troupe resta seule en Alsace, pendant plusieurs mois, désœuvrée. De petites expéditions d'anthropologues eurent tout le temps de mesurer les crânes des Indiens à l'aide de curieux compas et de négocier des pièces de leur artisanat de fantaisie pour un futur musée. Et ce dut être un autre spectacle, plus étrange peut-être que le grand *show*, de voir, aux alentours du château de Benfeld, près de Strasbourg, errer des groupes de cow-boys, entre le vieil étang et la ferme de Muhlbach. Et ce dut être quelque chose de reluquer, depuis la grand-route, un petit troupeau de bisons en lisière du bois de Schiffloch. Ainsi, durant quelques mois, les promeneurs alsaciens ébahis apercevront des Sioux – l'ennui les tirant hors du camp et les poussant vers la ville – tituber ivres morts, rue de la Digue, puis boire l'eau du canal.

On raconte qu'à Marseille, à l'occasion de cette tournée, un Indien du nom de Feather Man avait fait une mauvaise chute. Les cascadeurs sont soumis à ce genre d'aléas. On l'avait alors transporté à l'hôpital de la Conception. Son mal empira, la troupe dut repartir. Et il resta ainsi, seul, à l'autre bout du monde, incapable de parler ni français ni anglais, en proie à la fièvre et à la douleur. Le 6 janvier, à quatre heures du matin, après une agonie pénible et solitaire, il mourut. On transporta son cadavre au cimetière Saint-Pierre, où il fut enterré carré n° 8, tranchée 19, piquet n° 2. Les années passèrent. Personne ne réclama le corps.

Ses restes furent exhumés et jetés à la fosse commune.

Dans chaque cimetière, il y a une division pour les pauvres, un petit carré mal entretenu, recouvert d'une lourde trappe, sans croix, sans nom, sans rien. Quelquefois, un galet est posé par terre, un bouquet sec, un prénom est tracé à la craie sur le sol, une date. C'est tout. Il n'y a rien de plus émouvant que ces tombes. Ce sont peut-être les tombes de l'humanité. Il faut les aimer beaucoup.

LE MASSACRE
DE WOUNDED KNEE

LES DERNIERS pèlerins du monde seront des bandes misérables, peuples chassés, gens que l'on déporte ou que l'on repousse. Ce seront de longues files de morts. Ainsi, dans le Dakota, après une intense campagne des propriétaires de ranchs – qui firent courir la rumeur d'une révolte indienne –, la tension était réellement montée, et de nombreux Indiens envisageaient de fuir. Les grands éleveurs espéraient faire peur aux fermiers qui s'installaient de plus en plus nombreux dans la région et dont les parcelles morcelaient leurs immenses pâturages. Ils armèrent rapidement une *Home Guard* et harcelèrent les Indiens. À la suite d'une embuscade meurtrière, qui tua des dizaines de guerriers, le ton était encore monté et le général Nelson Miles avait ordonné l'arrestation de Sitting Bull.

Après une saison avec le *Wild West Show*, le chef indien avait abandonné sa carrière d'acteur et il était retourné vivre parmi les siens dans la réserve de Great River. Il était vieux à présent et fatigué. Et il désirait terminer ses jours ici, paisiblement.

Au petit matin, le 15 décembre 1890, une quarantaine de policiers indiens avancèrent au petit trot jusqu'à environ un kilomètre et demi du camp de Sitting Bull, puis entrèrent au galop dans le village. Tout le monde dormait. Ah ! que nous aimons le petit matin, la fraîcheur de l'air, les grandes lames de lumière sur la terre pierreuse. Mais ce matin-là, ce n'étaient pas les oiseaux qui chantaient, ce n'était pas la jeune fille qui faisait sa toilette en fredonnant dans la cabane voisine, c'étaient les sabots de quarante-trois chevaux qu'on entendait dans un demi-sommeil. Le profit, le respect du pouvoir répondent à la voix de Dieu. L'Histoire est morte. Il n'y a plus que des punaises. Le bruit de l'iniquité en mouvement se reconnaît. Le général Miles est un faiseur d'exemple, un technicien de la discipline. Voici le petit jour. On est devant la cabane du chef indien. Le progrès n'a pas de temps à perdre. Soleil. L'air est glacé. Les bouches soufflent des colonnes de buée. On crie. Sitting Bull sort de sa cabane. Sa figure est comme délavée ; le passé nous arrive sans couleur. Lorsqu'on lui annonce qu'on vient l'arrêter, il répond qu'on lui laisse le temps de s'habiller, qu'il va les suivre.

Les chiens hurlent. La lumière crépite. Des guerriers indiens prennent les policiers à partie. Très vite, c'est le désordre. On insulte les policiers, on les bouscule ; et là plus personne ne sait ce qui se produisit. Les drames emportent avec eux leurs témoins. Un homme sort un fusil et tire. Une bouche tremble. Il n'y a plus de réalité, tout arrive, tout éclate. On se bat. Un bras s'agite furieux. Un premier homme tombe, l'œil tournoie dans la paille, la poussière froide ; brusquement, un policier tire à bout portant. Sitting Bull vacille. Peut-être qu'il entend une dernière fois les huées s'élever des gradins ; il voit les horribles petits visages des hommes vivants, lui, la chose morte. Et puis, un autre policier avance et, d'un coup de carabine, l'achève. On pousse du pied le cadavre.

Alors, les Indiens emportèrent leurs tentes de cuir et de feutre, des lambeaux, vieilles

couvertures, sacoches, le peu qui leur res-
tait. Les enfants pleuraient. Le vent entrait
dans les chariots. Une voix enrouée hurlait
qu'on avance. On régurgitait un peu de bile.
Fuyant leur village, les Lakotas trouvèrent
refuge au campement de Big Foot ; mais le
général Miles ordonna aussitôt son arrestation. L'armée temporisa. Il plut des rafales
d'ordres et de contre-ordres. Big Foot était
un pacifiste, mieux valait sans doute lui faire
confiance et calmer les esprits.

Mais craignant l'arrivée des soldats, les
Lakotas, et avec eux les Miniconjous de Big
Foot, avaient déjà repris la route. Il faisait
horriblement froid, on se traînait sous les
arbres pétrifiés, le long des crêts. Big Foot
était malade. Beaucoup d'enfants étaient
malades. Ils traversèrent l'embouchure de
la Cherry Creek, puis longèrent la rivière
Cheyenne en suivant une vieille piste de
chariots. Les chevaux marchaient lentement, sous une pluie froide. Les cavaliers
avançaient en silence, et derrière eux une
longue file de canassons et d'hommes et
de femmes à pied et de charrettes. Ça râle,
ça souffle. Le chemin est si encaissé que les
chevaux glissent ; la file repart. Chacun est
seul, seul avec sa fatigue. On s'arrêta en fin

d'après-midi n'importe où, dans un amas tentes et de cabanes agglutinées.

C'est alors que le général Miles déploya deux régiments de cavalerie pour bloquer le convoi de fugitifs. Pendant ce temps, les Indiens s'étaient remis en route ; et ils se traînaient, affamés. Le vent balayait la plaine. Le visage se refermait, la peau devenait grise. Les femmes et les enfants se tenaient dans un coin du chariot où pourrissait un peu de paille. Quelques heures plus tard, en dessous de Porcupine Butte, ils tombèrent sur un groupe de cavaliers ; les deux cents hommes du 7ᵉ régiment de cavalerie, commandés par le major Whitside, le régiment de Little Big Horn, le vieux régiment carbonisé, celui que Sitting Bull avait vaincu ; oh ! pas les mêmes hommes bien sûr, mais le même numéro, pétri de la même tradition. Le régiment coupa la route à un convoi de moribonds. Un Indien agitait un drapeau blanc, morceau de linge au bout d'une pique. On demanda aux soldats du lait, de quoi manger ; ils promirent de distribuer ce qu'il fallait, à Wounded Knee.

On repartit, escortés par la cavalerie. Une fois arrivés, un officier ordonna aux Indiens

pour la nuit. Big Foot, malade,
nfirmerie. Il ne portait qu'une
n foulard, il avait froid. Très
iens se firent des abris comme
us purent, on leur distribua de la farine et du
lard. Les familles se tenaient ensemble près
de petits brasiers. On découpait des tranches
de lard, qu'on brûlait. Ça crépitait, la graisse
coulait. La fumée puait. Les enfants regardaient le feu ; leurs visages luisaient au flam-
boiement des branches de pin. Un peu d'eau
roulait dans les chaudières. Ça clapotait.
Puis, la nuit vint. Le vent faisait grincer les
chariots. Les hommes restèrent un moment
debout, jusqu'à ce que la fatigue les fauche.
Et il fit de nouveau froid, encore plus froid.

*

Au matin, il y eut un coup de clairon. Les
guerriers furent rassemblés ; on leur
ordonna de remettre leurs armes à feu. Mais
craignant que des armes ne restent cachées,
les soldats fouillèrent les tentes. On grim-
pait brutalement dans les chariots à la
recherche de couteaux, de haches, de n'importe quoi. La colère monta. Un escadron
tenait les Indiens en joue depuis le sommet

de la colline. Soudain, un coup de feu partit. Il y eut une vague échauffourée ; on ne sait où elle commença ; et puis on entendit un grondement terrible, qui aussitôt couvrit tout autre bruit. C'étaient quatre canons de montagne Hotchkiss. Faciles à recharger, maniables, d'une excellente précision à deux kilomètres, ils se trouvaient sur la colline au-dessus du campement.

Alors, tout bascula. Quelques Indiens, qui avaient réussi à contourner la rangée de fusils, se ruèrent sur les soldats. Il y eut un violent corps-à-corps. Les baïonnettes déchiraient les bras, ripaient sur les crânes. On braillait des ordres impossibles à entendre. Les canons tiraient sur les tentes, au hasard. Les châlits s'écroulaient, carbonisés. On courait de toutes parts. Des chariots s'effondraient sous le poids des corps. Puis les canons se mirent à tirer en direction de la plaine afin d'atteindre les fuyards.

Soudain, il n'y eut plus un bruit. Ça faisait comme un drap dans le vent. Les soldats baissèrent leurs fusils. Que se passait-il ? Le silence avait quelque chose d'effarant. Les soldats se regardaient, interdits.

En contrebas, les Indiens étaient presque tous morts. Une fois réarmés les canons, il y eut encore deux, trois déflagrations. Puis des cris ; certains soldats suppliaient qu'on arrête. Il y eut même un hurlement, on ne sait pas de qui.

Ce fut tout.

Et il se leva une violente tempête. La neige tomba du ciel comme une injonction de Dieu. Les flocons tourbillonnaient autour des morts, légers, sereins. Ils se posaient sur les cheveux, sur les lèvres. Les paupières étaient toutes constellées de givre. Que c'est délicat un flocon ! On dirait un petit secret fatigué, une douceur perdue, inconsolable.

Puis il y eut du vent. Un bourdonnement terrible. Nuit profonde, cimes voltigeant. On avançait l'haleine coupée. Il neigea tant que les militaires durent se retirer un peu plus loin, dans leur casernement, et attendre. On tâcha de dormir. Deux jours passèrent. Lorsque la tempête se fut un peu calmée, on sortit de nouveau et on eut une horrible surprise. Partout, il y avait des cadavres. Rien que ça. La plaine était couverte de morts.

Les militaires réquisitionnèrent des civils. De grosses charrettes de fermiers pénétrèrent dans le campement détruit. Ce fut une moisson sinistre. On voit rarement de telles charrettes pleines de morts. Des mains roidies passaient entre les barreaux. La chair avait gelé.

Il fallut une fosse. La pioche heurta la terre, le mince permafrost de l'hiver. Enfin, la terre devint plus tendre, plus chaude. Une fois que les pelles eurent fini de gratter, trois hommes sautèrent dans le trou. Cela prit du temps, on se passait les morts un par un, on les dépouillait de tout ce qui pouvait se vendre. On les tenait par les bras et par les jambes : un, deux, trois ! et hop ! on les jetait dans le vide. On avait des vertiges à cause de la fatigue et de la puanteur qui montait. Les cadavres s'empilaient, on travaillait, le foulard sur la bouche. On sifflotait en se passant une chique pendant la pause. Et puis ça recommençait, les bras et les pieds, le corps qu'on balance. Un homme endormi. Un autre endormi, un autre, ils dorment tous ! Et ils roulent la tête sur le côté et leurs bras se coincent sous le ventre dans une pose étrange. Et toujours le visage, ces yeux morts, l'œil de cheval. Cent. Ça fait cent cadavres. Cent un, cent deux, cent trois. On empila quatre-vingt-quatre hommes, quarante-quatre femmes et dix-huit enfants. D'abord une rangée qu'on recouvrit de vieilles couvertures, puis une autre rangée dans l'autre sens ; et ainsi de suite. C'était le 2 janvier 1891.

ACHETER UNE ENFANT

ON DIT qu'Archiloque traversa un désert d'os, et qu'il dut le traverser seul. Un médecin indien, le Dr Charles Eastman, était venu fouiller les environs à la recherche de survivants. Il était arrivé un matin, le 1er janvier, et à midi, lui et ceux qui l'accompagnaient avaient déjà retrouvé dix personnes. Ils continuaient à chercher dans les fourrés, inquiets, pleins d'amour et de tristesse, ils couraient partout où un mourant aurait pu se cacher ; lorsque, soudain, on crut entendre les pleurs d'un bébé. On crut avoir rêvé sans doute, mais il y eut un second gémissement. Alors, les hommes se déployèrent à pied, avançant lentement, s'arrêtant, tendant l'oreille. Le ciel était gris, les nuages épais. Les hommes marchaient en silence. Tout à coup, l'un d'eux cria. Les autres accoururent. Les pleurs venaient d'un cadavre de femme. On se mit à quatre pattes, grattant autour de la morte. On souleva le corps de l'Indienne, raide et froid, figée dans son propre sang ; et on découvrit, entre ses bras morts, une petite fille. Il fallut écarter de force les bras gelés.

*

Pendant que le régiment massacrait les Indiens à Wounded Knee, Buffalo Bill avait débarqué en Amérique, puis il avait rejoint le Nebraska. Il y avait appris la mort de Sitting Bull et le massacre qui venait d'avoir lieu. On prétend qu'il regretta jusqu'à la fin de ses jours de n'avoir pu intervenir – peu importe. L'essentiel est qu'il se rendit aussitôt à Wounded Knee. On le voit sur une photographie légendaire avec le général Miles, à Pine Ridge. On ne peut pas dire que cette camaraderie soit de bon augure. Miles était une crapule : il avait déporté en Floride les éclaireurs apaches de sa propre armée, et Geronimo, qui ne s'était rendu à lui qu'à condition de revenir dans son pays après deux ans de captivité, n'avait jamais revu l'Arizona. Quelques années plus tard, il réprimera les grèves aux usines Pullman de

Chicago ; douze ouvriers seront tués. Miles mourra en 1925, d'une crise cardiaque, à Washington DC. Il assistait avec ses petits-enfants à un spectacle de cirque.

Ce fut quelques jours après l'arrivée de Buffalo Bill que le jeune Leonard W. Colby, militaire admiré, séducteur, se retrouva à la gare de Pine Ridge. Plus tard, lorsqu'il eut atteint une assez grande notoriété, Leonard W. Colby raconta maintes fois comment Buffalo Bill l'avait escorté à Pine Ridge, accompagné de John Burke, son imprésario, et comment, cheminant ensemble et devisant, ils avaient rejoint lentement la réserve. Une fois posés leurs sacs dans les tentes blanches de l'armée, entre les stocks de poudre et les barils de lard, Leonard Colby et Buffalo Bill s'étaient rendus à Wounded Knee. Mais dès qu'ils furent montés sur la colline, ayant vu la plaine jonchée de chariots calcinés, avec de toutes parts une nuée de cloportes, de chasseurs de trésors, maraudeurs à la recherche d'objets indiens, Leonard Colby et Buffalo Bill, qui connaissaient tous les deux la guerre et avaient déjà vu des champs de bataille, comprirent aussitôt qu'il n'y avait eu là nulle bataille, mais bel et bien un massacre.

Ils étaient ensuite allés au comptoir de Pine Ridge, puis au bar, où Buffalo Bill avait ses habitudes, car il était l'amant de May Asay, la reine de Pine Ridge. Je ne sais pas si May Asay prenait vraiment plaisir à se faire embrasser par Buffalo Bill dans la remise de sa boutique, si elle aimait sentir sur ses lèvres ses grosses moustaches de gendarme. J'ignore si elle aimait se faire sauter sur la table poussiéreuse et s'essuyer avec un torchon poussiéreux et retourner derrière le comptoir de sa boutique dissiper son extase. Ce que je sais, c'est que James Asay, son mari, avait distribué du whisky aux soldats le soir précédant le massacre. Il avait une affaire, et il fallait bien qu'elle tourne ; un petit cadeau à la troupe ne pouvait pas faire de mal.

Pourtant, James Asay ne vivait peut-être pas tout à fait à l'abri des scrupules. Dès le matin, il se pintait et, dès midi, sa vie se dissolvait dans le néant. Il dormait tout l'après-midi, suant entre des draps sales, appelant dans son sommeil je ne sais quel personnage de fumée. Sa femme le tirait brutalement de son lit, le soir, et l'envoyait s'occuper du bar. On voit qu'un homme est pris de plusieurs manières dans les méandres de son existence ; et Asay, lui qui, il y a quelques jours, était allé offrir des barriques de whisky au régiment de cavalerie, à Wounded Knee, pour se le mettre dans la poche, eh bien, à présent qu'il est écrasé par lui-même, là, au beau milieu de l'après-midi, la chair clouée à son propre néant, on ne peut plus tout à fait le haïr. On imagine son front gluant de sueur, son haleine morte, sa gueule blanchâtre, lui qui est si effroyablement seul avec les autres, et même sans les autres, lui qui est toujours seul et angoissé. C'était peut-être un homme de pitié, oui, il avait eu tellement pitié de lui-même ! Il voulait faire comme dans les livres et se jeter dans l'abîme de soi et y crever. Mais il n'avait pas lu de livres, il les haïssait. Son intelligence s'était tournée contre lui tout entière, en alcool, tabac, paresse, dans de tristes affaires.

Le général Miles entrait parfois dans son bar, et la reine de Pine Ridge n'était alors pas tranquille. Miles buvait, et au fur et à mesure il devenait hargneux, brutal. Il renversait les tables, ivre, et tentait de l'emporter, elle, dans la remise, en lui tordant le bras. Elle avait un peu peur de ce vieil ivrogne. Et même si, après tout, Buffalo Bill passait lui aussi ses nuits à picoler et à jouer aux cartes, elle préférait sa voix de baryton ridicule, sa barbiche, ses vestes à franges, car il montrait davantage de douceur. Mais ce jour-là, à Pine Ridge, le général Miles était absent ; il y avait seulement Leonard Colby, Buffalo Bill et le major John Burke, l'imprésario.

Lorsque Leonard Colby racontera plus tard cet épisode de Pine Ridge, jamais au grand jamais il ne parlera de cette nuit-là, passée chez Asay, en compagnie de Buffalo Bill et de Burke. Il était pourtant capable de raconter toutes sortes de choses pour éblouir son auditoire, embobiner les journalistes et les Indiens avec lesquels il négociait parfois, mais il ne racontera jamais comment Burke, avec sa grosse gueule vulgaire, lui avait parlé, la première fois, de la petite Indienne, entre deux rincées de dame-jeanne. Non ça, il n'en a jamais parlé. Il ne rapporta jamais rien de cette discussion où Burke avait évoqué Zintkala Nuni la première fois, un tout petit bébé retrouvé à Wounded Knee, une petite fille, "la relique indienne la plus intéressante qui soit", une petite enfant retrouvée quelques jours après

le drame, ayant survécu miraculeusement
(et on peut imaginer avec effroi comment
Burke avait pu scander ce mot tel un pan-
tin qui hoche la tête). Non, Leonard Colby
n'avait jamais parlé de ça ni aux journalistes,
ni aux invités de son grand salon, ni à personne. Il ne dira jamais combien Burke avait
payé, au prix fort dit-on – mais, cela, Burke
non plus ne voulait pas qu'on le sache, et
durant toute sa vie il le cacha –, car Burke
avait acheté l'enfant, oui, et il l'avait sans
doute achetée pour le *Wild West Show*. Oh
peut-être pas, bien sûr, mais pour quoi faire
alors, si ce n'était pas pour l'exhiber et monter un numéro sensationnel : la petite survi-
vante de Wounded Knee ? Et puis Buffalo
Bill et John Burke avaient dû se raviser et
décider de revendre l'enfant. On ne saura
jamais pourquoi.

À ce moment-là, le cœur du général
Colby s'était mis à battre très fort. Il avait
flairé la bonne affaire. Quoi de mieux pour
trafiquer chez les Indiens que d'adopter une
petite squaw ? Et puisqu'il n'y a pas incom-
patibilité entre les affaires et les larmes, au
contraire, puisque les voyous sont violents
et sentimentaux, orphelins du monde, il
avait été sans doute à la fois intéressé et ému.

Le marchandage fut féroce. Colby, Buffalo Bill et Burke, à deux pas du bébé qu'une Indienne tenait contre elle, dans le magasin d'Asay, tandis que la reine de Pine Ridge, May, leur servait à boire, négocièrent le prix de l'enfant. On ne sait pas combien Colby acheta Zintkala Nuni, peu importe, on sait seulement qu'il était fou, que plus d'une fois dans sa vie son comportement frisa la folie, mais sa plus grande folie fut sans doute d'acheter cette enfant et de l'adopter, et de mêler ainsi à ce point les larmes et le profit. Oui, là – comme on le voit sur cette terrible photographie où il tient l'enfant dans ses bras, vêtue d'une sorte de robe de baptême –, on peut dire que Leonard Colby alla très loin dans sa folie, engloutissant la vie d'un autre dans la sienne, et diluant la sienne dans une entreprise de malheur.

*

On appela la petite Indienne Marguerite, Marguerite Colby. J'ai vu des images de cette petite fille, elle doit avoir quatre ou cinq ans. Sur l'une d'elles, elle s'enroule dans un rideau de dentelle ou de mousseline, près d'un sofa. Son visage est sombre.

Ses yeux sont noirs. Elle est jolie. Elle porte une robe de petite princesse comme dans les bonnes familles. Elle sourit, d'un air timide, sa main attrape un bout du rideau et elle le tient entre ses doigts comme une énigme. La maison des Colby était pleine d'antiquités douteuses, plumes d'autruche, fleurs de lotus, hiéroglyphes. L'après-midi, on y servait au goûter des sandwichs, des tartes aux fruits et des biscuits à la confiture. Tout le monde était très curieux de connaître les détails de la vie de la petite Indienne, et Mme Colby, sa mère adoptive, se mit à tenir dans la presse une chronique sur les faits et gestes de sa fille. On voit que les excès des *mass media* sont leurs penchants de la première heure.

Et la petite fille grandit et fut indocile et ne devint pas le modèle de bonne éducation chrétienne que l'on désirait. Toute jeune, tandis qu'elle jouait encore à chat entre les cordes à linge dans la cour de l'immeuble, elle traînait déjà dans la ruelle avec les négresses bavassant sous le porche. Puis, de la pension où on finit par l'envoyer, elle écrivit à sa mère de très longues lettres décousues ; elle était souvent malade, et menaçait parfois de se suicider. Enfin, sa mère l'emmena avec elle, à Portland, où elles s'établirent. Quant à son père adoptif, Leonard Colby, on ne le voyait jamais. Il menait au loin une vie de combines. Il utilisa un moment le nom de Zintkala Nuni comme carte de visite pour traiter avec les Indiens ; ce fut une affaire rentable.

Quand on fait un vitrail, on commence par dessiner des formes, des agonies de couleurs. Et puis on découpe les morceaux de verre et on applique ses bleus, ses rouges, ses jaunes, et l'on cuit tout ça. Une fois refroidi, on colle un petit bout de vitre bleue, d'un bleu myrtille, à un bout de rouge ; et cela forme les contours d'une colline, Hollywood, la colonie du cinéma. C'est là-bas que la jeune Indienne se casa plus tard pour quelques dollars. À l'époque, l'opérateur montait son magasin dans la caméra à toute vitesse, on faisait alors des films comme les hot-dogs, on criait aux acteurs de se foutre en place et lorsque l'émulsion était exposée à la lumière, tandis que l'opérateur tournait, tournait sa manivelle, il se formait une image latente de cow-boys et d'Indiens, de chevaux et de diligences, un peu comme au printemps, avant l'explosion de leurs fleurs, les bourgeons donnent déjà aux magnolias une vague couleur. Mais le public en avait marre des westerns tournés avec de faux cow-boys et de faux Indiens dans le New Jersey, il voulait que le petit carré de pellicule soit véritablement poussiéreux, que les dix-huit millimètres sur vingt-quatre soient véritablement tatoués par le soleil de l'Ouest.

La jeune fille tourna dans quelques films. Mais si on avait besoin d'Indiens, ce n'était pas pour jouer les premiers rôles. Aussi, à peine quelques mois après son arrivée, elle se trouva sans ressources. C'est alors que, par une étrange fatalité, elle fut recrutée pour la parade d'ouverture du *Wild West Show*. Munie d'un long boa et de bijoux clinquants, elle dut sans doute danser et montrer ses jambes. Elle ignorait les détails de sa propre histoire.

Enfin, après avoir erré pendant quelques années à la poursuite de petits cachets, la vie ne lui offrant décidément rien, elle s'abandonna à de sordides mésaventures, et, afin de payer sa chambre et les sandwichs qu'elle bouffait, elle se prostitua. Alors, la grippe espagnole, qui sévissait à ce moment-là et se jetait de préférence sur les êtres faibles, l'emporta.

Il existe une photographie d'elle, peu de temps avant qu'elle ne meure. Elle pose en Indienne, à l'Exposition Panama-Pacifique de San Francisco. Et c'est curieux, mais sur cette photographie, elle qui pourtant est indienne, semble être *déguisée*. Et si Zintkala Nuni, sur ce pauvre cliché commercial, nous semble travestie, ce n'est pas seulement parce que son regard triste et usé nous crie, à travers le costume et la mise en scène de cirque, que nous mourrons brûlés par nos masques. Non, ce n'est pas seulement parce qu'on l'a affublée d'une veste à franges et de mocassins bon marché. C'est bien plus terrible encore. Si, vêtue de cette manière, Zintkala Nuni, l'enfant de Wounded Knee, nous paraît être déguisée – c'est qu'elle n'est plus indienne.

LA *BATAILLE*
DE WOUNDED KNEE

Buffalo Bill avait mis à profit d'une autre manière encore son séjour dans le Nebraska. Avant de retourner en Alsace-Lorraine poursuivre son célèbre *show*, il avait été en pèlerinage sur les lieux de l'assassinat de Sitting Bull. Il y avait rencontré les proches du vieux chef indien et il leur avait confié l'affection et tout le respect qu'il avait pour lui. Il était sincère. Sans doute éprouvait-il ainsi la grandeur de quelque chose qu'il avait deviné naguère, en tant que simple éclaireur, dans le moment de sa vie réelle. Mais cela devait être loin à présent. Cela devait sembler étrange, après avoir vu tant d'hommes s'agglutiner sur des gradins comme les grains de blé qu'on secoue ! Alors, en échange de quelques dollars, par affection aussi peut-être, on lui avait cédé la cabane où avait vécu Sitting Bull et il l'avait fait démonter, afin qu'on la transporte en train jusqu'à son bateau. Et puis il avait également marchandé le dernier cheval du chef indien. Enfin, repassant près de Wounded Knee, il était allé ramasser les derniers débris de la tribu Lakota qui traînaient craintivement dans les environs du massacre et il les avait embauchés. C'était sans doute une façon de leur sauver la vie.

Pour retourner en Europe, le voyage en bateau avait dû être long. Il y avait eu d'abord un épais brouillard, et enfin de lourds nuages très bleus, d'un bleu foncé, de plus en plus profond. Puis des éclairs déchirèrent l'horizon, cela dura un jour et une nuit. Au matin, tandis qu'il était seul sur le pont, il aperçut au loin une île de sable. Le vent lui fouettait le visage. Derrière un filet de brume, le soleil devint éblouissant. Il mit sa main en visière, maladroit, regardant fixement devant lui la grande plaine vide, les vagues hautes et sauvages. Les rafales lui coupaient la gorge, il regardait. Le vent inclinait le navire, et les vagues s'écrasaient sur ses flancs d'acier. Leurs crêtes brillaient. Soudain, Buffalo Bill crut voir quelque chose, un tout petit frisson à la surface du monde. C'étaient des baleines. Elles suivirent le bateau de loin pendant des heures, indifférentes, puis on ne les vit plus. Il faisait beau, le navire glissait sur l'eau, imperturbable ; on était les maîtres de la vie. Buffalo Bill se tenait à l'avant et l'air faisait enfler ses joues comme s'il allait souffler dans une flûte, semblable au gamin de Manet, avec sa redingote de cirque et son pantalon bouffant.

Plusieurs fois par jour, il descendait dans la cale et s'occupait lui-même du cheval du vieux chef indien. Il frottait son dos avec un bouchon de paille et rinçait son box. Puis, il remontait sur le pont regarder la mer. Il devinait une étrange violence sous sa douceur, sous ses formes étincelantes que le navire brisait avant de s'écraser dans l'écume. Il aimait les vagues argentées, mais aussi les longs silences, le soleil mort. Les mouettes se tenaient sur les mâts, petites taches blanches. Une nuit, la tempête fut si âpre, la mer si déchaînée, qu'il eut peur. Par moments, il lui semblait se dissoudre dans le ciel.

*

Dès son arrivée en Europe, les représentations du *show* reprirent. Il y ajouta deux nouveaux numéros. Dans le premier, on aperçoit d'abord un groupe d'Indiens au milieu de l'arène. Les spectateurs ont loué pour trois ronds des jumelles de théâtre, ils regardent. On ne sait pas encore ce qui va se passer. La foule impatiente se bouscule, s'interroge. Derrière les guerriers, on devine une sorte de cabane, un Indien plus âgé se tient sur le seuil. C'est un chef, on le reconnaît à sa couronne de plumes.

Soudain, Buffalo Bill entre dans l'arène. Il fait un tour de piste à cheval et vient saluer. Les applaudissements retentissent. Des femmes se tiennent debout sur les chaises, dans une odeur de créosote et de crottin. Le présentateur annonce alors un épisode extraordinaire : "La mort de Sitting Bull, avec son véritable cheval et sa vraie cabane, recueillis par les soins de Buffalo Bill lui-même." C'était donc ça ! Rien n'arrête le démon de la mise en scène. Rien ne remplit assez le tiroir-caisse. Et aussitôt les curieux se pressent, la foule veut mieux voir. On ne voit jamais assez. Il y a quelque chose de grand et de beau, ou peut-être de très affreux et de très vulgaire, qui nous échappe toujours. Il semble qu'on va le voir, là, maintenant ! Et il ne faut absolument pas le rater, sans quoi, plus jamais il ne se montrera. On se tient là, comme ce chevalier de la Table ronde devant lequel vont passer la lance salvatrice et le Saint-Graal. Et on fait comme lui, on les regarde passer, éperdus, stupéfaits, et on oublie de tendre la main pour les prendre.

Brusquement les cavaliers sortent des coulisses. Ils font un premier tour de piste, en une cavalcade effrénée. Mais ce ne sont plus des policiers indiens, c'est un détachement de l'armée américaine ; la fiction a de ces à-peu-près qui faussent tout. Galopant devant un long ruban de toiles peintes, les cavaliers tirent quelques coups de revolver. L'air est saturé de poussière. Les Indiens, à leur tour, ouvrent le feu ; la cavalerie se replie lentement vers le fond de l'arène. Mais, après quelques instants, les cavaliers chargent de nouveau, et, une fois près de la cabane, quelques-uns descendent de cheval et se cachent derrière des bottes de paille admirablement disposées. Un Indien tombe mort, puis un autre, et encore un autre. Les soldats avancent au milieu des balles. C'est alors que Sitting Bull – ce n'est plus lui, mais un acteur – monte héroïquement à cheval. Il fait deux tours de piste, multipliant les acrobaties inutiles, par une chaleur étouffante. Soudain, se ruant vers les soldats, Sitting Bull tire à bout portant et blesse un homme en plein visage. Le type s'effondre. Un autre riposte. Le chef indien est touché à son tour et tombe de cheval. Il rampe derrière un bouquet d'arbres ; des roseaux secs entrelacés de canisses. L'Indien se cache, mais tout le monde le voit. Les soldats approchent lentement, ils ne savent pas où est l'Indien ! La foule crie. Siffle. Les mentons tremblent. Un cornet de frites glisse entre les sièges. Le rideau du destin est ouvert, il va peut-être se refermer dans un instant ! Un jeune soldat rampe vers la droite, Sitting Bull ne l'a pas vu… Les respirations s'arrêtent. Le chef indien tourne la tête, il a juste le temps d'amorcer un geste, le soldat tire. Silence. Une seconde détonation lui troue le ventre et l'Indien chancelle. Ah ! comme on l'aime à présent, les enfants du moins, et même les adultes éprouvent en secret ce précipité de culpabilité irrémédiable qui finalement absout de tout. L'Indien est mort. Les cavaliers remontent en selle et quittent la piste. La foule applaudit et bisse ; car à cet instant, on désire plus que tout revoir la scène, oui, juste la fin tragique, seulement ça, la mort du chef indien. L'émotion est ainsi faite qu'elle arrive sur commande ; le même épisode vu et revu, le refrain d'une chanson passée en boucle nous met chaque fois les larmes aux yeux, comme si une vérité indicible et sublime se répétait inaltérée. Alors, l'acteur se relève, les morts ressuscitent, les cavaliers reviennent en scène ; et on rejoue le final. Après un tour de piste, de nouveau l'Indien tombe de cheval, de nouveau il se cache derrière le bouquet d'arbres, de nouveau la foule crie, mais un peu plus fort peut-être, avec un peu plus d'émotion encore que la première fois. Un enfant pleure. C'est tellement mieux qu'il y a quelques minutes, tellement plus fort, tellement plus vrai. Connaître le dénouement ne change rien à l'affaire. Au contraire, cela ajoute au trouble, comme si la surprise et l'émoi s'accroissaient en se radotant. Mais dès que le chef indien est mort une seconde fois, dès qu'il est tombé de nouveau le nez dans la poussière, et qu'on a éprouvé le grand frisson de le *revoir* mourir, chacun quitte enfin sa place, le cœur chaud ; et on se dépêche d'aller à la buvette se payer des friandises ou un verre à boire.

*

Pendant l'entracte, on attend le prochain épisode avec impatience en se racontant le premier. Chacun veut confier à l'autre ce qu'il a vu, le petit bout de vérité qu'il croit être le sien. Et presque avec les mêmes mots, ils se rabâchent inlassablement les mêmes débris de l'aventure. Et puis ça sonne. On les rappelle. Le spectacle va reprendre. Buffalo Bill est encore sous sa tente, il se repose un peu. Dieu que c'est long un spectacle ! Mais lorsqu'on est sur scène, on ne voit plus le temps passer. Le regard des autres pétrifie l'horloge. Tout s'arrête. C'est l'éternité. Buffalo Bill adore ça, il a tout de suite adoré ça, depuis ses premiers pas incertains à Broadway où il s'est retrouvé un peu par hasard. Il avait alors tellement le trac ! Il prononçait ses répliques d'une diction hésitante, avançant sur la scène d'un pas raide, avec des gestes pleins d'emphase. Mais il n'en est plus là. À présent, il sait exactement quoi faire. Il entre à cheval dans l'arène et tout le monde le regarde. Tout le monde ! Ça doit faire quelque chose. Il n'est pas un acteur parmi d'autres, il est le personnage le plus célèbre de la planète. Ah ! comme ce doit être étrange d'être aimé ainsi. Peu ont connu cela avant lui. Il n'a presque rien à faire. Tous les regards sont tournés vers lui, Buffalo Bill. Mais il n'incarne pas seulement son personnage, l'ombre extime de son âme. Non. Il a fait sortir la flamme de terre, aspergeant le monde d'une pluie de tracts, prospectus, magazines où sa légende a été, ligne à ligne, fabriquée, peaufinée, et où l'apologie est devenue sans cesse plus habile. Et tout cela pour une œuvre exemplaire, exemplairement américaine, une formidable contribution à l'histoire de la Civilisation.

À présent, les familles se faufilent entre les stands et retrouvent leur place. Les jeunes gars regardent passer les filles dans leurs chemisiers en dentelle et les aident à monter debout sur les chaises. Tout le monde est déjà là, dans les gradins, sous le soleil. Voici les portes du plaisir. Et c'est quoi le Plaisir ? On ne sait pas. Et on s'en fiche. On aime le vertige, se faire peur, s'identifier, hurler, crier, rire et pleurer. Ce n'est peut-être rien, mais peu importe au fond, si cela nous ravit et nous grise, si cela nous fait effleurer par les sentiments le cœur du monde obscurci.

Le spectacle tire sa puissance et sa dignité de ne rien être. Nous laissant seuls, irrémédiablement, avec nulle plaie où voir le jour, point de preuves. Et pourtant, au milieu de ce vide bruyant, dans la grande pitié ressentie, jusque dans le mépris lui-même – quelque chose est là. Comme si ce grand divertissement passager, cet oubli forcené de soi, cette façon de détourner la tête pour *mieux voir* était l'un des moments les plus tragiques de l'être : sans signe, sans révélation ; et où seulement le cœur se serre, où la main s'agrippe à l'autre, n'importe quel autre, pourvu qu'il soit tout à côté de nous sur les gradins, et qu'on puisse éprouver nos détresses voisines dans un cri, un rire, une simple communauté de sentiments.

Maintenant, Frank Richmond annonce une chose exceptionnelle, le recto et le verso du Far West, un monument du monde ! Chut. *"Ladies and gentlemen*, voici devant vous, et pour la première fois, avec les participants eux-mêmes, la célèbre bataille de Wounded Knee !" À présent, on comprend mieux le voyage de Buffalo Bill, son départ précipité de Nancy, sa visite sur les lieux du drame, les rescapés qu'il embauche. Ça fait un beau *casting*.

Alors, la grand'geste commence, le rêve reprend. Des centaines de cavaliers galopent, soulevant des nuages de poussière. On a bien arrosé la piste avec de l'eau, mais on n'y peut rien, le soleil cogne. L'étonnement grandit, les cavaliers sont innombrables, on se demande combien peuvent tenir dans l'arène. C'est qu'elle fait cent mètres de long et cinquante de large ! Les spectateurs applaudissent et hurlent. La foule regarde passer ce simulacre d'un régiment américain, les yeux sortis du crâne. Les enfants poussent pour mieux voir. Le cœur bat. On va enfin connaître la vérité.

Pourtant, si on y regarde bien, ça n'est pas beaucoup plus réaliste qu'un film de Méliès, c'est le même toc, la même conquête du pôle, les mêmes chevaliers des neiges. Buffalo Bill, c'est le squelette Gambille, un chevalier du chloroforme ! Mais ici, peu importe, l'art est du commerce. Ce qui est naïf est terrible et ce qui ne compte pas est le plus important.

À cet instant, les Indiens jouent leur dernier rôle. Ils sont là, déguisés sous des costumes improbables, dans un brouillard de mouches. Et, comme d'habitude, tandis qu'ils entrent en scène, s'élève une vague rumeur. À la fois curieuse et hostile. Il en faut bien, pourtant, des Indiens, si l'on veut que le spectacle ait lieu. Mais le public est là pour les haïr, il est venu pour les regarder et les haïr. Et malgré le boniment de Buffalo Bill en prélude au spectacle, même s'il fait l'éloge de leur vaillance, même s'il donne quelques explications dérisoires, quoique bienveillantes, de leurs mœurs, le public s'en fout. Le temps n'est pas loin où le général Sherman – qui chevauche aujourd'hui quatre ou cinq tonnes de bronze dans la plus noble allée de Central Park – déclarait que les Sioux devaient être exterminés, hommes, femmes, enfants. N'avait-il pas fait le vœu de rester dans l'Ouest jusqu'à ce que tous les Indiens, absolument tous les Indiens – et ce sont là ses propres mots – aient été tués ou déportés ? Et n'est-ce pas lui, encore, qui décida d'anéantir les troupeaux de bisons, la principale ressource des tribus indiennes, afin d'assurer la progression rapide du chemin de fer ? Et n'est-ce pas en tant que chasseur de bisons que Buffalo Bill lui-même, embauché par une société ferroviaire, se fit connaître et prit son nom ?

Il suffit de regarder n'importe quelle photographie de Cornelius Vanderbilt, l'empereur du chemin de fer, pour comprendre.

Il suffit de bien observer sa bouche, le pli sans recours de ses lèvres, l'audace cynique. Il suffit de fixer ses yeux pour entrevoir le petit buisson desséché par le sel. Et il suffit de regarder le terrible portrait que Mathew Brady nous a laissé du général Sherman – celui où il est bras croisés, en uniforme, le regard dur et le visage ravagé par une sorte de lèpre – pour apercevoir cet autre versant de la fable. La haine.

Nous sommes le public. C'est nous qui regardons le *Wild West Show*. Nous le regardons même depuis toujours. Méfions-nous de notre intelligence, méfions-nous de notre raffinement, méfions-nous de toute notre vie sauve et du grand spectacle de nos émois. Le maître est là. En nous. Près de nous. Invisible et visible. Avec ses vraies-fausses idées, ses rhétoriques accommodantes.

Et le spectacle recommence. Les cavaliers tournent férocement sur la piste. La poussière fait rougir les yeux. Un soldat roule à terre, mort, puis il se relève et époussette sa veste – le spectacle continue. Les cavaliers encerclent les Indiens. Les gradins sont pleins à craquer, il y a vingt mille personnes, peut-être plus. Soudain, un cavalier se penche, acrobate, sur son cheval de cirque. Pan ! Les Indiens ouvrent le feu ; la fusillade est étourdissante, l'air est irrespirable. On se jette dans un corps-à-corps acharné, les couteaux tranchent les gorges, les hommes roulent sous les chevaux. Un ranger avance sous une pluie de balles. Le public regarde, éberlué.

Quelques Indiens à cheval tournent autour des rangers en criant comme Buffalo Bill leur a appris à le faire. Ils font claquer leur paume sur leur bouche, whou ! whou ! whou ! Et cela rend une sorte de cri sauvage, inhumain. Mais ce cri de guerre, ils ne l'ont poussé ni dans les Grandes Plaines ni au Canada, ni nulle part d'ailleurs – c'est une pure invention de Buffalo Bill. Et ce cri de scène, cette formidable trouvaille de bateleur, ils ne savent pas encore qu'il leur faudra le pousser sans cesse, dans toutes les mises en scène où on les emploiera à jouer les figurants de leur propre malheur. Oui, ils ignorent encore le destin de ce *truc* inventé par Buffalo Bill, ils ne peuvent pas imaginer que tous les enfants du monde occidental vont désormais, tournant autour du feu, faire vibrer leur paume sur leur bouche, en poussant des "cris de sioux" ; ils ne peuvent pas imaginer le prodigieux avenir de cette chose grotesque, le fabuleux pouvoir de combustion du sens à travers le spectacle. Et cependant, ils durent en éprouver en secret toute l'horreur.

Sur le côté de la piste, John Burke hurle, ses grosses moustaches recrues d'écume. Il vocifère, marche de long en large, comme aujourd'hui ces entraîneurs obèses s'agitent et crient à des athlètes de se surpasser, exigeant des prouesses qu'ils seraient, quant à eux, bien incapables d'accomplir. Son costume chic est tout crotté de poussière. Ses cheveux pèguent. Ses manches poissent. Il aboie aux Indiens de reculer. Il pointe furieusement du doigt le fond de l'arène. Alors, obéissant à la consigne, les Indiens reculent, certains se lancent même dans une fuite désespérée. Mais quelques-uns résistent encore. Les soldats essuient vaillamment les coups. Le soleil hurle. Il fait nuit. Les yeux s'embuent, le poing se serre sur un barreau de chaise. John Burke laisse tomber sa clope. Attention, eh ! le rouquin, attention ! Un Indien saute de cheval et tire sur le soldat. C'est un jeune soldat roux, un innocent, et il s'écroule dans une cascade où tout son corps semble perdu. On crie. La terre est rouge. C'est une catastrophe, les soldats s'en vont, ils se blottissent dans un coin de l'arène. L'odeur de poudre est suffocante. La vue se trouble. Mais, soudain, Buffalo Bill surgit de la coulisse. Ses cheveux ont beau être déjà blancs, il montre une énergie farouche. Il ne semble pas engoncé dans son costume, au contraire, sa silhouette se détache sur le fond des choses, par une sorte de vibration. Son corps est étranger à l'arène, il est sur les Grandes Plaines, insaisissable, fulgurant.

Dans un tourbillon de poussière, il traverse les cent mètres qui le séparent du groupe d'Indiens prêt à venir à bout de la cavalerie, et, par un retournement prodigieux, abat en quelques instants une quinzaine de sauvages. La piste est couverte de cadavres. Encouragée par son héros, la cavalerie se ressaisit et brusquement le combat inverse son verdict. Les rangers se remettent en ordre de bataille. Ils chargent et les Indiens se replient, mais ils ne sont plus qu'une poignée et meurent les uns après les autres dans une chorégraphie étudiée. On est à présent aussi loin de l'événement que possible, et le massacre s'est transformé en une suite d'actions exaltantes, pour un dénouement édifiant.

Quand la *bataille* de Wounded Knee est enfin terminée, la plupart des Indiens sont morts. La victoire est écrasante. Buffalo Bill se penche sur un blessé, puis sur un autre. La scène est presque touchante. Enfin, il rend hommage aux combattants indiens qu'il relève d'un geste impérieux, avant d'annoncer le numéro suivant.

*

Le spectacle est fini ; les gens se promènent entre les boutiques d'artisanat indien et les stands de hot-dogs. On jette un œil, on enfile un collier. On voudrait bien un tomahawk, une plume même ! C'est ce qu'on appelle aujourd'hui le *merchandising*. Les Indiens vendent les produits dérivés de leur génocide. Ils marchandent avec les badauds, puis empilent les petites coupures dans leur maroquin.

Le *reality show* n'est donc pas, comme on le prétend, l'ultime avatar, cruel et possessif, du divertissement de masse. Il en est l'origine ; il propulse les derniers acteurs du drame dans une amnésie sans retour. Les rescapés de Wounded Knee devront, pour l'éternité, essuyer les coups de feu à blanc des rangers du général Miles, de nuit comme de jour, puisque grâce à des projecteurs géants, le *Wild West Show* sera le premier spectacle éclairé de l'histoire du monde, le premier spectacle nocturne.

Désormais, à Strasbourg ou dans l'Illinois, les rescapés du massacre joueront et rejoueront la version *soft* de Wounded Knee. Une version où les Indiens et le 7e régiment s'affrontent héroïquement et où l'armée américaine sort victorieuse. Et ils la joueront plus d'un an, un peu partout en Europe, cette interprétation buffalo-billesque des faits. Dans cette version revisitée, on ne voit ni la trahison des éleveurs ni l'embuscade de Riley Miller, qui tua tout ce qu'il put d'Indiens, avant de céder pour quelques ronds leurs tuniques et leurs scalps à Charles Bristol, pour son petit stand de reliques à l'Exposition universelle de Chicago. C'est une version du massacre revue et corrigée par Buffalo Bill et John Burke, dans le plus pur esprit américain. C'est une version pour nos livres de classe. Une version pour enfants. Dans ce petit bout de théâtre, il n'y a ni la longue marche épuisante des Sioux, fuyant leur réserve, ni les manœuvres des rangers pour les attirer docilement, hordes mourantes, à Wounded Knee. Il n'y a pas non plus le canon Hotch-kiss, et sa technologie miraculeuse. Il n'y a plus ni tempête de neige, ni fosse commune, ni femmes, ni enfants.

LA VILLE DE CODY

LA FIN du monde approche. Et cette fois-ci, c'est la bonne, ce ne sont pas élucu-brations de prophètes ou de moniales, c'est une impression générale, la nécessité du commerce – un désir. Il se passe quelque chose, une chose qu'on n'a jamais vue. On dirait que tous les pauvres bougres du monde se sont soudain donné rendez-vous ici, en Amérique. En 1870, ils étaient quarante millions d'Américains ; mais en 1880, ils sont déjà cinquante millions ; et en 1900, il y en a soixante-seize. Ça fait bien des habitants venus et nés en si peu de temps, une population qui double en trente ans, un territoire qui se dilate, un peuple immense qui arrive et bonde et repousse ses erreurs très loin devant lui. Dans le Minnesota, le Missouri, l'Arkansas, on est pris de folie. Terminé les gentils dimanches, raouste ! c'est en Oklahoma que l'on va ! au

Kansas ! Mais déjà au Kansas, le rideau brûle, on dit qu'on a trouvé de l'or en Californie, et voici qu'on se rue sur le Pacifique, chariots, clochards, putains, bons à rien de toutes sortes, mais aussi fils prodigues, bons garçons de Memphis qui veulent *voir*. Et quand on arrive, qu'est-ce qu'on voit ? La perpétuité des vagues, Big Sur, les falaises formidables.

Rien n'est facile pour ces hommes, mais tout se peut. L'espèce vient de commencer un voyage qui ne finit pas. On marche pendant des mois, on galope, et puis ce sont les rails qui s'allongent dans une guerre inouïe entre Vanderbilt, Gould, et deux-trois forbans. C'est qu'il fallait le traverser ce continent. Et tandis que l'armée américaine œuvre à l'expansion du Progrès, les puissances se lèvent. Spéculation effrénée. Faillites scandaleuses. Collusions légendaires. Et pendant ce temps, on ira de Duluth à Tacoma, de Houston à Los Angeles ; et de Chicago à San Francisco. L'Union Pacific crève les Rocheuses et passe ! Désormais, on ira partout les pieds au sec. Oh ! il y aura bien des attaques et des désagréments, mais on n'en pourra pas moins voyager depuis la statue du Commodore à New York jusqu'à San Francisco, en lisant le journal.

En 1886, comme tout Américain qui se respecte, Buffalo Bill fonda une ville, investissant ainsi sa fortune naissante dans un projet d'avenir. Et il lui donna, bizarrement, son vrai nom : Cody. Une ville sortie de nulle part, comme on le voit sur les photographies. À partir de quand peut-on parler d'une ville ? En Amérique, à cette époque, les villes s'allument et s'éteignent comme les mèches des lampes. En 1900, la ville de Cody était encore un éparpillement de bicoques. Vers 1903, Buffalo Bill Cody – on ne sait plus comment l'appeler – fonda l'hôtel Irma, du nom de sa fille. Son bar en merisier lui fut offert par la reine Victoria. Au mur, des fusils rappelaient ses glorieux faits d'armes. John Burke avait réglé les moindres détails avec une attention passionnée et sensible. Le commerce est une folie. Un trou béant. On ne voit plus rien d'autre. À côté, la vie existe à peine ; rien n'est à l'abri des rafales qui surgissent du néant. Le monde entier termine en Bourse, à la corbeille.

Cody est un décor. Elle dit la vérité en mentant. De loin, elle semble inconsistante, vaporeuse ; une aura d'angoisse et d'irréalité la nimbe. C'est que la ville de Cody est morte. Archi-morte. Pendant près de cent soixante-dix jours par an, il fait moins de zéro à Cody. Et puis on y trouve tous les poncifs architecturaux de l'Ouest : les rambardes de bois rustiques, les façades de brique moches, les machines à sous, les *girls* de rodéo. Il n'y a rien à Cody. Rien qu'une immense tristesse.

À l'époque de Wounded Knee, Buffalo Bill avait fondé Cody depuis quatre ans. Il y tenait énormément, c'était d'ailleurs son deuxième projet en matière de ville. On ne peut pas échouer mille fois. Il faut créer des villes où les gens viennent vivre, c'est indispensable. Tout comme les spectacles réclament un public, une ville a besoin d'habitants. Mais Cody ne se développait pas. Le flair et la chance que Buffalo Bill montrait sur scène, il ne parvenait pas à les reconvertir en autre chose. Il aurait pourtant vraiment aimé transformer son instinct de bateleur en une ville, une jolie ville, une ville à lui, à lui tout seul ; et cependant habitée, luxueuse même, vivante, pleine d'agitation et de touristes et de commerces et qui aurait porté son nom. Mais ça ne marchait pas. La ville végétait dans son décor de pierre. Alors, on raconte que Theodore Roosevelt, vieux

copain de Buffalo Bill, aurait, sur ses ins-
tances, lancé la construction du Shoshone
Dam, le plus grand barrage de son temps, et
que, soudain, la ville de Cody avait démarré.
Ce doit être un ragot.

Buffalo Bill était sans cesse en voyage, et
la ville de Cody était une sorte de vieux rêve,
un rêve de romanichel, le désir d'ancrer sa
vie quelque part, de lui trouver une forme
réelle. Le vieux cheval imaginait peut-être,
comme avant lui Alexandre, fonder une
ville où il irait terminer sa course folle à travers le monde en compagnie d'une jeune
maîtresse, un dernier amour, plus pur et plus
doux que tous les autres, et qui le réconci-
lierait. Ainsi eut-il de nombreuses liaisons
éphémères. Il avait cette tristesse opiniâtre
des vainqueurs, cette douleur secrète de
ceux qui ont tout eu et s'imaginent encore
mériter autre chose. Il ne savait pas quoi.
Une ville ? Une jeune fille peut-être ?
La dame de Venise fut son plus pur mirage.
À bientôt quarante ans, il s'éprit d'une star-
lette. L'histoire est ordinaire et d'autant plus
profonde. Tout ce qui touche à Buffalo Bill
se change en carton-pâte que ç'en est désar-
mant. Ils s'étaient rencontrés à Londres

pendant la première tournée européenne du *Wild West Show*, qui fut un véritable triomphe. La gigantesque contrefaçon avait séduit le public le plus exigeant. Elle était alors parmi les spectateurs, et on ne sait de quelle manière il la remarqua. La jeune fille venait d'avoir dix-sept ans, elle s'appelait Katherine. Dès qu'il fit sa connaissance, quelques jours plus tard, le vieux renard lui déclara, dans ce mélange de sincérité et de grandiloquence qui font si bon ménage, qu'elle était "la plus belle fille du monde". En de telles circonstances, l'imagination ne vaut rien, les paroles les plus banales sont les mieux venues. Mais Buffalo Bill n'eut pas le temps de conclure, il devait retourner en Amérique ; ils s'écrivirent. Très vite, elle lui avoua sa passion du théâtre, et elle le rejoignit. Lui, se sentant vieillir, crut retrouver un peu d'enthousiasme auprès d'elle. Il acquit alors les droits d'une mauvaise pièce de théâtre, *La dame de Venise*, et il la présenta au meilleur producteur de New York.

La première de la pièce fut un désastre. Les journalistes les mieux intentionnés écrivirent qu'elle avait une jolie frimousse, de l'expression, mais qu'elle n'avait pas le moindre talent. Le public ne suivit pas non

plus. Buffalo Bill dut renflouer le producteur ; il versa quelques milliers de dollars,
afin de sauver la pièce. Mais elle continuait
à perdre de l'argent. C'était terrible, pour
lui, cette résistance. Depuis longtemps, le
succès lui avait appris à considérer le public
comme une entité bienveillante, soumise ;
et voici que soudain, le public ne le suivait
pas, il ne pouvait transmettre le filon, il ne
pouvait créer une autre vedette que lui-
même et une autre réussite que son *show*.
La formule magique qu'il croyait posséder,
il ne savait pas l'appliquer à d'autres circonstances ; il ne possédait que son métier ; le
hasard avait fait le reste.

Il fit pourtant tout ce qu'il put. Il n'écoutait personne. Ni les journaux, ni ses amis,
ni John Burke, qui lui recommanda d'être
prudent. Buffalo Bill aimait Katherine. Il
aimait sa peau délicate, sa voix, son cul, sa
jeunesse. Pendant presque deux mois, la
pièce tourna de ville en ville sans aucun succès ; il fallut interrompre la tournée. Buffalo
Bill s'opiniâtra, il en programma aussitôt
une autre, investissant à fonds perdu des
sommes considérables, quatre-vingt mille
dollars ! Ce fut une série de fours reten-
tissants. Les journalistes se déchaînèrent,

c'était comme s'ils se vengeaient du succès ininterrompu de Buffalo Bill, comme
s'ils voulaient témoigner, par ce revire-
ment indirect de leur indulgence, qu'ils
avaient toujours été indépendants, et que
leur bonté à son égard était autre chose
que de la complaisance. Enfin, les critiques,
féroces, révélèrent leur liaison. Mais le vieux
saltimbanque voulait encore lutter contre
la poisse. Dans sa loge, il fixait, mélancolique, le portait en pied de Katherine. Ah !
ces chevilles si délicieusement fines, et ce
visage penché, la manière qu'elle avait de
tenir une plume entre les doigts, il était
donc seul à les voir !

Non. Le fils d'un multimillionnaire de
New York y prêta lui aussi attention. Il
l'épousa. Les folliculaires répétèrent à l'envi
que le jeune couple était follement heureux. À présent, pour Buffalo Bill, la fontaine de Jouvence est amère. Mais rien
ne décourage un vieux lion. Et la jeune
Katherine, quoique à l'abri du besoin, fas-
cinée peut-être par son charisme, émue de
son cabotinage, finit par revoir son men-
tor. Ils se retrouvaient dans de sordides
chambres d'hôtel, sans souci de décence.
C'était alors une nouvelle lune de miel ;

après les engueulades et les rabibochages, on se retrouvait, on pleurait, et Buffalo Bill couvrait sa jeune pervenche de caresses et de petits cadeaux. Il l'adorait. Elle était une princesse, la princesse du dimanche. Et puis il se lassait de nouveau. Désespérée sans doute par la médiocrité de son destin, Katherine buvait dès le matin deux ou trois cocktails, puis toute la journée du brandy, du champagne, enfin, tout ce qui aide à oublier une existence ingrate et moche. Son époux divorça.

Les mauvaises langues racontent – mais faut-il les croire ? – que Buffalo Bill n'avait pas eu dans sa vie que cette tapageuse maîtresse ; il ne s'était pas seulement contenté d'un vague écart de temps à autre, ni de quelques foucades. Il en avait eu des dizaines. Partout où sa vie de bohémien l'avait traîné, il avait perdu des nuits entières dans les bars en compagnie de pauvres filles ; et il arrivait même que durant quelques jours ou quelques semaines, le vieux saltimbanque emporte avec lui l'une de ses conquêtes nocturnes. Et John Burke calculait les retombées possibles, la mauvaise publicité, il épluchait à son lever, dans l'après-midi morose, les articles acrimonieux des bien-pensants. Et lissant ses grosses moustaches, il évaluait et réévaluait le manque à gagner, le trou laissé dans la caisse. Il feuilletait de ses mains grasses les carnets de commandes, l'agenda du *Wild West Show*, et fronçait les sourcils. Mais il avait beau blâmer Buffalo Bill, il avait beau le mettre en garde, se fâcher même, le vieux renard, comme tant d'autres célébrités, crut sans doute bénéficier en toutes choses d'une sorte de grâce, d'impunité. Ses phéromones le guidaient, suintant un parfum capiteux en direction de son cœur trop tendre, et Buffalo Bill était alors incapable de se retenir. Il était sentimental et obscène. Et cependant, un beau jour, après des années de vie errante, très assidu au bordel, repu peut-être, à coup sûr fatigué, le vieux clown de soixante-quatre ans – à l'initiative de sa fille – écrivit à Louisa, son épouse, pour lui demander de bien vouloir oublier le passé.

L'oubli n'existe pas. Le pardon est plein d'arrière-pensées. Pourtant, Louisa et Buffalo Bill se revirent. Ils firent ensemble quelques voyages. La réconciliation eut lieu. À la fin de sa vie, le visage de Louisa était maussade, méchant. Elle s'était tenue à l'écart, et elle avait senti l'aile froide de la gloire lui gifler de loin le visage comme un vent mauvais. Sans doute, ils s'étaient aimés, mais c'était si loin maintenant. Elle avait connu William Cody puis Buffalo Bill, et elle avait senti le pauvre dédoublement se muer lentement en autre chose. Et, cette fois-ci, elle espérait que William Cody, ou Buffalo Bill, ou les deux, peu importe, reviendrait bientôt et resterait, enfin rassasié, peut-être reconnaissant. Bien sûr, ce n'était pas que sentiment, elle tenait serré tout contre elle son petit réticule ; elle veillait au patrimoine, à sa fille, cela entrait dans son calcul d'amour, dans la comptabilité de son existence. Mais il y avait décidément autre chose. Une chose qui n'en finissait pas de finir, une chose amère et tendre. Ils avaient tout de même fait bien du chemin ensemble, ils allaient fêter leurs quarante-cinq ans de mariage. Lui semblait fatigué de sa vie errante, et elle encore attachée à son mari. Il serait sans doute injuste de voir, dans ce rapprochement bien tardif, la capitulation d'un vieux jouisseur. Les longues vies sont des mystères qu'on ne comprend pas. Elles ont leurs ruses, leurs plis. Personne ne peut rien dire. La vie à deux est peut-être toujours une longue suite de bonheurs et de malentendus. Il ne peut pas faire beau pendant dix ans, vingt ans ; il y a l'hiver ! Les fruits mûrs tombent, l'herbe sèche, enfin il ne reste qu'un peu d'humus. Mais ça n'est pas rien, peut-être, cette vie qui prononce son verdict dans une autre.

*

Reste la petite ville de Cody, dans son désert glacé. Comme un souvenir étrange planté au milieu de nulle part, énigme dont personne ne sait ce qu'elle pourrait bien nous apprendre.

Depuis sa fondation, la ville a peu prospéré. Avec ses huit mille âmes, elle fait figure de halte au pied des monts. Aujourd'hui, à côté de l'hôtel Irma, qui existe toujours, un petit musée expose une ribambelle de souvenirs : armes à feu, affiches du *Wild West Show*, objets indiens, flore de la région, et d'innombrables photographies de notre héros. C'est le rendez-vous des amoureux du Far West. Cody serait la deuxième ville du Wyoming, un État grand comme la moitié de la France. Bien des touristes vont en Inde, dans le Rajasthan, d'autres filent à Bergame, admirer le Duomo et pleurer sur la tombe de Donizetti, mais celui qui n'a jamais vu ni Idaho Falls ni un rodéo à Cody est un imbécile. Quel bonheur de bouffer un T-bone sous une tête de bison, puis d'acheter des CD de country dans le Wal Mart du coin ! Ah, Cody ! Tu es comme Buffalo Bill, une ville tout à fait morte, oui, tu n'es rien qu'une autre sorte de fantôme !

LA RÉALITÉ
N'EST PLUS CE QU'ELLE ÉTAIT

E T BUFFALO BILL continua ses tournées, inlassablement. Il vieillit sur scène.
Rien ne put le faire lâcher. Il était accroché,
mordu, drogué. Personne ne pouvait l'en
guérir. Cependant, un peu partout naissaient
de nouveaux loisirs, de nouveaux spectacles,
de nouvelles formes de jubilation. Le *Wild
West Show* était en train de devenir ringard.

Désormais, durant ses longues tournées
à travers les États-Unis, dans les petites
villes miteuses où l'on commandait encore
son spectacle, Buffalo Bill, lorsqu'il ne dormait pas sous sa tente, prenait pension chez
des amis. Avec l'âge, les amitiés deviennent
précieuses. On se voit moins, mais on est
heureux de se retrouver. Ainsi Buffalo Bill
passait-il de temps en temps quelques jours
chez son ami Elmer Dundy, un vieux cama-
rade. Et tandis qu'ils bavardaient ensemble

dans le grand salon, se rappelant tel ou tel épisode de leur vie dans le Nebraska, le petit Elmer (car aux États-Unis le fils aîné porte souvent le prénom du père, comme une seconde preuve de sa filiation) se faufilait entre les lampes à pompons et les fauteuils de cuir. Il écoutait alors, admiratif, béat – comme les enfants le sont devant les figures de plâtre des manèges. Il écoutait pendant des heures Buffalo Bill parler de ses exploits, des soixante-neuf bisons tués en une seule journée contre les quarante-huit de Bill Comstock, grâce à quoi il avait hérité du prénom de Bill et se l'était fichu derrière Buffalo pour commémorer ce jour. Elmer l'écoutait raconter, pour la mille et unième fois, les guerres indiennes, sa jeunesse polissonne, comment il avait débuté dans l'aventure à quatorze ans, comment ses pieds lui faisaient mal, sur la mule, sans chaussures, comment Ned Buntline écrivit sa vie, cette vie qu'Elmer avait lue, dans le petit bouquin à trois *cents* que lui avait acheté son père. Oui, des heures durant, Elmer écoutait le vieux grigou rabâcher ses prodigieuses fadaises. Il écoutait les histoires de rangers et les édifiants récits de bataille. Mais ce qu'Elmer voulait en réalité entendre et qui le faisait palpiter des heures assis par terre dans le salon, suspendu aux lèvres de Buffalo Bill, ce n'était ni la description de la tour Eiffel ni les récits sur Sitting Bull, non. Ce n'était ni la vie du Far West, ni la mort de Chien Jaune, ni l'histoire de Little Big Horn, non. La seule chose qui intéressait vraiment le petit Elmer, la seule raison véritable qu'il avait d'écouter les élucubrations de ce vieux schnock, c'était qu'après mille divagations sur Sitting Bull et le Pony Express, il finissait toujours par reparler du *Wild West Show*.

Ce qui intéressait Elmer, c'était le spectacle, rien que le spectacle. Et s'il se foutait bien des cavalcades dans le désert, des *saloons* du Nebraska, et des aventures véritables de Kit Carson, s'il se foutait éperdument des coutumes indiennes, des victoires indiennes, en revanche, il voulait tout savoir sur la carrière de comédien de Sitting Bull, et ça l'intéressait bigrement plus que les véritables faits d'armes du guerrier. Pour lui, le chef indien appartenait au folklore, et peu importait son rôle à Little Big Horn, peu importait que Sitting Bull soit la traduction approximative et stupide de Thathanka Yotanka qui signifie "bison mâle se roulant dans la poussière", peu importait son silence légendaire, sa précision au tir à l'arc, peu importait qu'il ait tué son premier bison à l'âge de dix ans, qu'il ait combattu à quatorze pour la première fois et fait tomber un homme de cheval, peu importait la plume blanche de l'aigle, le nom reçu de son père, toutes ces choses essentielles aux Indiens, et à ceux qui avaient véritablement vécu ça. Peu importait que Sitting Bull ait vraiment rêvé ou non de l'oiseau-tonnerre, peu importait le soulèvement des Sioux, l'alliance avec les Cheyennes, et la défaite de Custer. Peu importait Crazy Horse et les autres, l'exil, l'emprisonnement, et la tristesse énigmatique qu'on devinait dans les yeux embués de Buffalo Bill lui-même. La seule chose qui intéressait le petit Elmer Dundy, c'était d'entendre encore une histoire du *Wild West Show*.

Plus tard, devenu un homme, il avait peut-être rêvé à Lahore, aux Charbagh de Delhi, aux bosquets et aux fines pelouses du Lake Palace Hôtel. Il avait rêvé à l'Inde des maharajahs, aux oasis de brume, entre le Tigre et l'Euphrate, loin de New York. Et il avait traduit tout ça en pavillons à colonnes, ponts, cascades, maisons de coquillages,

folies, rocailles, comme il l'avait peut-être vu
à l'Exposition universelle, en 1893 – décor
de rêves et de carton. Ainsi, tandis que Buffalo Bill poursuivait son immense périple
autour du vide, n'attirant plus autant les
foules qu'auparavant, perdant de l'argent
même, et cependant incapable de s'arrêter,
Elmer fondait Luna Park.

On y arrive par une grande rue, parse-
mée de quelques bagnoles, entre d'énormes
lampadaires. Et partout des affiches, des
panneaux : *Capitol Luna*, et un gros cœur
au-dessus du gigantesque portail, avec écrit
dedans : *The heart of Coney Island* ; et juste
en dessous, en énorme : LUNA PARK, et
encore dessous, en petit : *Thompson &*
Dundy.

À l'entrée (10 ¢), le caissier veille dans
une sorte de bateau-comptoir. Mais dedans,
c'est une autre ville, avec ses lampadaires, ses
bouquets d'arbres, ses curieux campaniles
aux bulbes colorés comme des églises russes,
kremlins de folklore ; avec ses orphéons,
ses buvettes, ses toits doucement incur-
vés, ses tours pointues, ses maisonnettes
de couleur, évoquant aussi bien Prague et
son château que l'Italie, l'Inde ou la Chine.
Car ici, on est *n'importe où*. Une foule

en canotier défile sous des gargouilles de plâtre, monstres de *comics*, dans une Venise de bazar. Se mêlent canaux, faux châteaux forts, éléphants avec leurs cornacs nègres et leurs drapeaux américains. Et on s'asperge, glisse, rampe, crie, s'empoigne. Et puis, la nuit, Luna Park scintille, des millions de fées Clochette se posent sur les toits, les devantures, les ponts, le long de fils à linge imaginaires, comme de petites étoiles tombées du ciel. Et le ciel est désormais moins brillant que la Terre. Et la Terre est devenue la Lune, ce vieux machin qui nous faisait rêver, avec ce bon gros visage dont parle Plutarque, mélancolique et solitaire.

Mais sur la Lune de Luna Park, tout n'est que flèches et minarets, gaieté. Ça repose du bureau et de l'usine. Les gens se bousculent gentiment, la tête en l'air, tournés vers l'apogée solitaire des tours, chacune luttant pour être la plus haute. Terminé les Indiens, les bisons, toutes ces vieilles tapisseries de l'Ouest. À présent, le public veut autre chose. C'est cela le public. Il faut lui inventer des trucs sans cesse. Il veut une représentation jamais donnée, un spectacle fou, et qui n'existe pas. Il veut la vie elle-même, toute la vie. C'est sans doute pourquoi Elmer Dundy rajoute sans cesse des tours à Luna Park ; il faut que ça monte, que ça brille, que ça fasse un boucan d'enfer !

Mais au matin, sous le soleil, le toc est manifeste, la vulgarité saute aux yeux. Le maquillage a fondu. Depuis sa cabine de pilotage, Elmer regarde sa forêt endormie, et il repense à la toute première fois où il a assisté au *Wild West Show.* Il éprouve une sorte de nostalgie, et presque du remords. Décidément, se dit-il, le spectacle n'est plus ce qu'il était.

Enfin, l'heure arrive. Il regarde d'en haut les foules aveugles et molles pénétrer son fief. Maître du Temps et de la Solitude, Elmer installe, dans l'escalier étroit qui mène à la pensée des hommes, une petite lucarne. Et il leur demande juste d'y jeter un œil, un instant, et de regarder sa cité de lumière, ses anges de papier, et de croire – oui, de faire comme si on croyait, l'espace d'une seconde – que ce puisse être vrai. Alors, il sait bien, Elmer, comme Buffalo Bill autrefois, qu'on se laisse prendre – étonnés, mordus, on monte sur ses chevaux de bois, on croque ses gaufres, et on crie ah et oh lorsque le wagonnet monte et descend. Il le sait bien, pourtant, que ce ne sont pas les jardins du Paradis, mais de petits rognons de fer entassés pour récolter de gros sous. Mais ça n'est pas méprisable, dans la chaleur tiède et les pierres mortes, de venir se laver le cœur avec des sensations terribles et légères. Il y a là l'occasion de se connaître, de poser sa main sur une autre main, qu'une robe se soulève un peu et montre le mollet. On a bien le droit de s'aimer, pense-t-il, dans le feu magnifique de minuit, en se baignant dans cette richesse pour pauvres, après la peine. On est venu en tram, il fait beau, le soleil frappe. On rit dans cette chose extra-ordinaire qui est *pour nous*. Oh ! que la roue monte et nous laisse seuls, tous les deux au-dessus du monde. Comme ils sont petits les autres, et ce n'est rien soudain notre fatigue, nos efforts ; toute cette vie passée, elle est minuscule vue d'ici, mais si belle ! On ne sait quoi penser. Quelque chose fait peur, là-haut, quand la balancelle de la grande roue nous laisse un instant suspendus au-dessus du vide. On regarde, tout est oublié : la poussière et le chaos, la gêne, les fins de mois ; il n'y a plus que le bleu magnifique, la baie de New York, les mouettes et ce sentiment irrationnel qui nous cuit : "Serions-nous différents ? Différents des autres ? de ceux qui sont en bas, maintenant, et qui font la queue dans la chaleur, pendant que nous, on est au ciel ?"

LES PRINCES DU DIVERTISSEMENT
MEURENT TRISTES

Une fois que le *Wild West Show* eut rempli sa mission civilisatrice et qu'il eut avantageusement remplacé dans la conscience des hommes les Indiens de Chateaubriand, puisqu'on voulait en même temps les privilèges de l'élection et la cohue grisante, ce mélange d'ancien et de nouveau que Buffalo Bill avait incarné, que ce mélange était devenu à la fois odieux et indispensable, chaque nouvelle génération crut soudain lire, dans sa propre nostalgie, le signe d'une irréparable perte. Et Buffalo Bill lui-même avait senti derrière les murs de sa petite maison de brique, entre les vieux meubles en acajou et une estampe de Naples, je ne sais quel avilissement de la réalité.

Alors qu'il trottinait vers Madison Square, lors d'un de ses séjours à New York, parcourant les fondations sublimes de la Vᵉ Avenue, s'égayant ou se renfrognant en jetant un œil aux vitrines des boutiques, se délectant parmi les premiers abonnés du *shopping* et dégoûté dans le même temps par leur invincible appétit, il devint brutalement évident à Buffalo Bill que la nostalgie n'était pas seulement une résistance vaine contre la nouveauté déchaînée, mais qu'elle était elle-même devenue à présent une forme de notre savoir. La civilisation était devenue cela : un alliage impossible de nouveautés et de regrets. Et pour cette raison sans doute, et pas une autre, Buffalo Bill Cody – lui qui avait inauguré une forme nouvelle, le divertissement de masse – tomba à son tour dans le grand langage oublié.

Lui qui avait présenté sa mise en scène du monde devant la reine Victoria, qui avait même réussi à enchanter l'austère Gladstone ; lui qui avait fait galoper des centaines de chevaux sur des tapis roulants en dessous de la tour Eiffel et dont le portrait avait été placardé sur tous les panneaux publicitaires de la planète ; lui qui avait même fondé une ville portant son nom de baptême, Cody, et pour qui les Indiens avaient vendu leur bimbeloterie du Far West jusqu'en Russie ; lui qui, ayant dressé ses immenses toiles peintes devant le monde, avait joué le drame de la civilisation à guichets fermés, applaudi par des millions de spectateurs, lançant une véritable américanomanie, vendant ses vestes à franges et ses nattes de perles comme des petits pains ; lui, l'entrepreneur de spectacles où les Indiens n'étaient jamais vraiment morts, mais se relevaient après le coup de feu, une fois roulés par terre, et époussetaient rapidement leur veste avant de repartir ; lui qu'on avait vu avec ces mêmes Indiens se promener en gondole sous le Rialto et pour qui on jugea le Colisée trop petit, avait commencé de vieillir.

Ses mises en scène sont soudain inadaptées au monde qui vient. Et voici que par la même opération qui avait relégué les Indiens dans l'indiscernable, il est à son tour attiré lentement dans l'ombre. Et les poignées de mots qu'il jette au visage des spectateurs et les saluts de son stetson n'y suffisent plus. Lui qui servit de modèle, en France, à l'anonyme gardian, dans le delta du Rhône – le baron Folco de Baroncelli, fasciné par le spectacle qu'il avait vu en Arles, ayant affublé ses vachers des costumes du *Show*, le spectacle offrant alors son folklore à un pays véritable, la Camargue (et qui sait si le théâtre grec n'a pas vêtu les hoplites de Sparte) ; lui dont les bêtes de cirque sont les ancêtres des troupeaux de bisons sauvages du parc de Yellowstone ; lui dont on avait un temps imaginé sculpter le visage sur le mémorial national des États-Unis, ce qui deviendrait plus tard le mont Rushmore ; lui qui avait donné le ton à tout un monde, et qui avait mis en route l'implacable culture commerciale, celle qui astique un visage, le rend aimable, célèbre, puis brusquement s'en détourne, voici qu'il était à son tour guetté par le néant.

Très vite, dès le début de sa carrière, Buffalo Bill avait décidé que chaque représentation du *show* devait commencer de cette manière : un cavalier faisait un tour de piste en brandissant le drapeau US, puis un orchestre cow-boy jouait *La bannière étoilée*. Cet air deviendra par la suite l'hymne national des États-Unis – on voit comment l'Histoire se prosterne devant le spectacle. Mais ce n'est pas tout. Lors de l'une de ses tournées en Angleterre, le cavalier s'arrêta devant la reine. Victoria se leva et salua le drapeau américain. C'était la première fois qu'un monarque anglais avait ce geste. Ce qui fait d'un vague numéro de cirque l'auxiliaire d'un succès diplomatique inespéré.

Tout ça est fini à présent. Le vieux cabotin est là, au milieu de ses vieilles carrioles, de ses carabines qui rouillent, épuisé, essoré, toujours à court d'argent, la gorge nouée, les mains moites, pris soudain de véritables crises d'angoisse. Et, comme toutes les vedettes, ayant vécu au-dessus de ses moyens, il tombe petit à petit entre les mains des autres. Les descendants de Barnum le rachètent. Mais ça ne suffit pas, il a trop emprunté. Alors, on annonce une immense tournée, un ultime *show*. Pour éponger ses dettes.

En vain. Le cinéma est déjà en train de lui grignoter ses derniers spectateurs. Qu'à cela ne tienne, il peut en faire lui aussi ! Il s'y essaie. Le public ne suit pas. Ses films sont des fours. Buffalo Bill n'a plus une seule carte dans son jeu, elles sont toutes sur la table, graisseuses, cornées. Le cœur n'y est plus. Sa fiole est gravée dans toutes les mémoires, mais il ne reste rien d'autre de lui que cette caricature à cheval blanc, à chapeau blanc. Et, désormais, tout est blanc, le bouc, même les poils du cul. Sur Cody la neige tombe, chaude, lourde. Il est grand-père. Mais il n'a pas le temps de flâner, pas le temps de poser les petites fesses de ses petits-enfants sur ses gros genoux morts. Le vieux bateleur n'a plus un rond, il est même endetté, fini et endetté. Dans ce qu'il reste aujourd'hui de ses films, on le surprend en de grotesques pantomimes, usant de gestes maniérés. Et lorsqu'il joue aux côtés du général Miles une version révisée par leurs soins de la *bataille* de Wounded Knee – car c'est encore ainsi qu'ils rebaptisent une der-nière fois le massacre –, tous les deux appa-raissent à cheval, chenus, grossis.

C'est comme simple salarié du cirque Sells-Floto qu'il terminera sa prodigieuse carrière. Les débris de son *show* sont vendus aux enchères, parmi les floches de brume. Aujourd'hui, pour cent dollars par jour, il doit caracoler et, comme Louis XIV jadis, afin que sa dignité reste inaltérée et rap-porte ce qu'elle doit au monde congru, eh bien, il lui faut porter perruque. C'est même écrit dans son contrat. À cet instant, le voici pauvre type, émouvant, au *finish*, arraché aux vêtements qui le portent, malade, aux ordures. Ainsi, le chef d'orchestre du cirque, apercevant Buffalo Bill Cody par la porte entrebâillée de sa loge, un soir, seul, encore élégant pour son âge, forcé de se grimer toujours et se préparant, vieux clown dégarni, à une énième exhibition de sa personne, fut ému. Et nous aussi nous sommes touchés par cette dignité de camelote, par ce vieil acteur avachi après des années d'une vie de romanichel, usé, exilé dans sa loge. Lui qui a fabriqué la plus grande mystification de tous les temps, voici qu'il appartient soudain au monde qui s'efface et que la grande nostalgie s'empare brusquement de lui.

En janvier 1917, à peine deux mois après la dernière représentation de son *show*, le vieux William Cody – car il redevint alors William Cody, de son vrai nom – rendit visite à sa sœur. Peut-être qu'il navigua d'abord pendant des heures au pied des Rocheuses, dans la poussière froide. Puis il y eut quelques traînées blanches dans le ciel, des éclairs zébrèrent l'horizon sans qu'une goutte tombe. Soudain, il y eut une violente tempête ; son cheval blanc zigzagua contre le vent, inquiet, perdu au milieu des brumes. Mais voici que le huitième jour de janvier, il vit la terre. Alors, frappé par la beauté des lieux, comme ces petites bestioles rampant vers la lumière, il longea la dernière côte de sa vie, accosta, et, ses poumons s'étant enflammés démesurément à cause d'un coup de froid, il tomba gravement malade.

La fenêtre de sa chambre lui laissait voir le spectacle immense des choses. Il prenait encore par moments des accents de comédien, un ton à haranguer le monde, puis il avait cette gaieté de pauvre type qui ne vaut rien. Il faisait effort pour rire, mais sa blessure secrète n'était pas cicatrisée, et le plafond lui renvoyait ses pires serrements de cœur. Qu'avait-il fait ? Son visage était pâle, son crâne luisant. Oh ! que la réalité était terrible avec sa tablette froide à côté du lit, son verre d'eau tiède et l'oreiller trop chaud, plein de sueur.

Cody devenait sentimental. Il pleurait à propos d'un rien, tenait la main de sa sœur serrée dans la sienne et soupirait. La vieille tige aurait bien voulu donner encore une fleur et sentir son parfum ! Mais Cody était déjà mort, et depuis longtemps. Devenant Buffalo Bill, il s'était effacé derrière les vestes à franges et les répliques de parade. Oui,

Cody était mort, mais pas comme Sitting Bull ; sa quintessence était devenue l'Amérique. Une légende vivante est un être mort. Et maintenant, soixante-dix millions de spectateurs plus tard, il lui fallait un instant ressusciter, pour entrer tout vivant dans la mort véritable. Et cela, il n'y arrivait pas. Il continua à jouer son rôle, cabotin jusqu'au bout. Il n'y a rien de plus beau que le spectacle.

Un matin, la voix de William Cody se fit fluette. Son ventre gonfla. Il ne regardait même plus vers la fenêtre. Il sentit en lui la fontaine tarie, la glace, la plaie incurable ; le temps glissait sous sa peau ses longs doigts de squelette. Il vit peut-être un instant une robe de coton, de beaux enfants, un paysage. Et puis il y eut comme un ruisseau féroce dans la chair, une pluie. Et il aperçut, dans un dernier sursaut de conscience, la pente à remonter pour vivre une autre vie... Alors, il lui sembla que la vie avait été comme un horrible piège. Une heure passa. Le soleil entra dans la chambre. Il respirait un peu mieux. Et il crut soudain voir si clairement ses erreurs, qu'il les aima. Il sentit glisser lentement son dos contre le drap rêche, de minuscules touffes de poussière tourbillonnaient près du lit, et il vit une large plaine, des corps allongés et la neige qui leur servait de linceul ; il ouvrit la bouche, mais il n'avait plus la force de parler. Il ne pouvait rien dire. Oh ! il avait brusquement tant de choses à raconter... tant de détails, de confidences à faire... Il ferma les yeux. On ne saura jamais. On est né pour ne pas savoir. On aura eu quinze ans, trente ans, et on sera resté seul, toujours, en compagnie des autres et on les aura aimés très fort, à voix basse. Nul n'a jamais été enfant, personne. On n'a jamais été autrement qu'aveugle et sourd.

La matinée était déjà avancée. Le soleil avait chauffé l'oreiller et, lorsqu'il tourna lentement la tête, il sentit la chaleur du drap sur sa joue. Dieu que c'était bon ! Est-ce que cela n'aurait pas dû suffire ? Tout était à présent si loin... Que s'était-il passé ? Il espérait seulement que sa sœur monterait ce matin ; il aurait tellement aimé qu'elle soit là avec lui, un instant. Il ne voulait pas crever seul, racrapoté dans sa blessure. Ah ! si quelqu'un avait pu se tenir là, près de lui. Il voulait mourir comme tout le monde.

Mais la mort est patiente. Elle se tient face au lit, comme le spectateur devant la scène. On ne lui échappe pas. Elle a payé sa place, et elle verra notre crevure.

HISTOIRES

APRÈS LE MASSACRE de Wounded Knee, les Indiens traînèrent une vie de misère sur des terres morcelées et incultes. Ceux qui avaient travaillé pour le *Wild West Show* revinrent après quelques années, et n'eurent pas davantage de chance. Les Peaux-Rouges étaient considérés comme les débris d'un monde ancien, et le mot d'ordre était désormais qu'ils devaient *s'assimiler*.

La destruction d'un peuple se fait toujours par étapes, et chacune est, à sa manière, innocente de la précédente. Le spectacle, qui s'empara des Indiens aux derniers instants de leur histoire, n'est pas la moindre des violences. Il fixe dans l'oubli notre assentiment initial. Partout, le premier amour n'a duré qu'une minute. Puis, chaque fois, se produisit la même incontrôlable destruction. Et aucun monde de mots ne créa son monde de choses.

*

À présent, regardons. Oui, regardons de tous nos yeux, de toutes nos forces. Regardons-les, depuis notre aise et notre prodigalité effarantes.

Et maintenant imaginons un instant – oh seulement un court instant – que tout ce que nous avons là autour de nous, nos maisons, nos meubles, nos frusques, notre nom même, nos souvenirs, et encore nos amis, notre situation, tout, absolument tout pourrait nous être retiré, pris, sifflé. Oh bien sûr, on se dit que oui, oui, on y avait pensé, on le savait évidemment, mais ça reste abstrait, tout à fait abstrait, juste des mots, une hypothèse. Oui. C'est une hypothèse. Les autres. Une hypothèse. Eh bien, faisons encore un effort, juste un tout petit effort, pour voir si on peut en tirer quelque chose. Maintenant, essayons de nous dire qu'elle dure depuis très longtemps cette hypothèse, ça fait, mon Dieu, une éternité.

Et ceux-là, sur cette photographie, ils n'ont plus de chez-eux, et plus beaucoup de souvenirs. Pour eux, ce n'est pas seulement une hypothèse. Regardez mieux. Oui,

vous les connaissez, vous les connaissez
même très bien, vous les avez vus cent fois,
deux cents fois. Oh bien sûr, ce ne sont pas
tout à fait les mêmes, pas tout à fait eux, et
cependant, si vous regardez bien, vous les
avez déjà vus.

Regardons-les encore. On n'éprouve pas
seulement un étrange malaise à voir leur
misère, on ressent aussi une sorte de sympathie, oui, n'ayons pas peur des mots, on
éprouve de la sympathie. Mais d'où vient-
elle, bon Dieu, cette sympathie, depuis le
début des temps, d'où vient-elle ? On ne
sait pas. C'est une chose qui vous traverse
le corps, les yeux, et qui prend la gorge et
remplit la poitrine de larmes. C'est bizarre,

la sympathie. On doit bien leur ressembler un peu à ces pauvres bougres. Car ce ne sont rien d'autre que de pauvres bougres, ce sont toujours les mêmes silhouettes fragiles, les mêmes grappes d'enfants, les mêmes loques.

Oui, regardons-les encore, au moment où leur histoire s'achève, et où commence la nôtre. Ah ! c'est à la fois émouvant et pénible de les regarder. Et si ça nous est pénible, si nous éprouvons une sourde angoisse, c'est parce que malgré ce sourire que l'on devine sur le visage de l'homme, eh bien, nous le savons, oui, nous le savons très bien, même : ils vont mourir. Et parce qu'ils vont mourir, et qu'on le sait, et qu'on le devine dans ce que l'on voit ; on se sent soudain tout près d'eux, *comme eux*, alors que justement, nous, on ne meurt pas, on ne meurt presque jamais.

Regardons-les, ce sont les rescapés de Wounded Knee. Ils doivent être dans une sorte de camp, quelques jours après le massacre, quelques heures avant que le grand spectacle ne s'empare d'eux et ne nous les livre. Et ils nous regardent, ces femmes, ces enfants, et ce type-là, à droite, avec sa drôle de chapka, son pauvre sourire, ses yeux tristes, et son vêtement de l'armée américaine peut-être, par une ironie du sort arraché à la nécessité de se vêtir.

Que c'est étrange une photographie. La vérité y vit comme incorporée à son signe. Et, brusquement, il me semble voir sur cette photographie non point seulement de pauvres bougres, mais *le pauvre* – comme si ce témoignage excédait l'événement. Et je me dis : ce sont les Miniconjous de Big Foot jusqu'à la fin des temps, ce sont les figurants du *Wild West Show*, ce sont les pauvres diables, ils sont de la même famille que tous ceux qui nous tendent la main, n'importe où, devant la cathédrale ou le McDonald's ; oui, c'est toujours ce type et quelques femmes qui sont assis par terre avec leur sale gueule de pauvre.

Que le bonhomme du Dakota nous pardonne. Qu'il nous ramène de son prétérit, s'il le peut, sa besace de soucis, là où les fragments d'Histoire s'emboîtent comme des mâchoires. Regardons-le une dernière fois.

Aimons sa tristesse ; son incompréhension, nous la partageons, ses enfants sont les nôtres, son petit chapeau nous irait peut-être ! Regardons-le. La nuit est blanche. Souffle-moi ce qu'il faut écrire. S'il te plaît, ne me montre plus ton visage, ne me regarde pas. La terre est triste, le corps est seul. Je ne vois plus rien. Et toi, tu es là, roi pauvre, ayant pioché la mauvaise carte.

LA NEIGE

LA NEIGE est la plus belle chose du monde. Le flocon est un agrégat de cristaux, comme le diamant, mais le diamant est l'une des matières les plus dures que l'on trouve sur terre. C'est dans le diamant que sont taillés le casque d'Héraclès, la faucille de Cronos, les chaînes de Prométhée. Le flocon de neige est au contraire très fragile.

Il n'y a rien de plus fragile et de plus beau qu'un flocon de neige. Comme tous les êtres, il en existe de multiples formes. Ainsi, tandis que le *Wild West Show* poursuivait ses tournées et atteignait au faîte de sa renommée, tandis que les dernières tribus indiennes, décimées, étaient regroupées dans d'étroites réserves, Wilson Alwyn Bentley grandissait paisiblement à Jericho, dans le Vermont. Adolescent, il court la campagne, gravit les collines, godaille entre les érables. Sur les écorces, il croit lire. Écoutant le zonzonnement des mouches, il entend parler. Quand arrive l'hiver, il passe son temps dehors ; dès son retour de l'école, aussitôt avalée une bonne petite *pie*, comme tous les Yankees du Vermont, il crapahute. Mais il ne va pas très loin, il cingle les chemins qui le mènent vers l'immensément petit. Sa mère est institutrice. Elle lui a acheté un vieux microscope, et il le sort chaque jour de sa jolie boîte en tronc de pyramide. Il l'installe, il ouvre le tiroir, pose sur la table une plaque d'os et de verre. Délicatement, la pince arrache au rebord de la fenêtre une miette de neige. La voici sur la plaque. Le petit Wilson se penche sur la lentille, et il voit. Lui, le fils de fermier, le petit crotteux du Vermont, il voit. Le mégot blanc fond doucement sur sa plaque de verre. Wilson regarde tant qu'il peut. Il a quinze ans.

Pendant cinq ans, il observe tout ce que la nature lui offre : écailles de pomme de pin, glands, feuilles, graines, petits cailloux, pétales, plumes, tout. Il veut tout voir, Wilson, tout ce qui est petit l'attire, comme si le monde était plus beau ainsi, plus humble, plus délicat, mais à la fois plus profus, plus étrange, plus étendu aussi, comme s'il existait je ne sais quelle sorcellerie dans l'imperceptible, qu'un autre monde, à la fois tout petit mais énorme en fait, pharamineux, se cachait à une autre échelle. Wilson a le vertige. Aucun flocon n'est semblable à l'autre. Au début, il croyait découvrir un modèle unique ; il se trompait. Dieu a fait autant de modèles que de flocons. Et afin que cette merveilleuse beauté ne soit pas perdue, Wilson les dessine. Mais les flocons disparaissent. Pfft. Il n'a jamais le temps de terminer son dessin. Sa propre haleine les fait fondre. On dirait que Dieu veut garder le secret de leur individualité innombrable.

Vers dix-sept ans, ses parents lui achètent enfin un appareil photo. Il arrime l'appareil au microscope, s'installe dehors. Les flocons tombent sur la plaque, il fait froid. Les mains tremblantes de Willie tournent la molette. La respiration coupée, il appuie sur le bouton, et poum ! Le flocon est pris dans les pailles d'argent. Mais les clichés restent flous. Parfois, il se décourage, "As-tu accédé aux réserves de neige ?" demande Dieu à Job, le récalcitrant ; et Willie se dit que Dieu ne veut pas que la photographie s'enfonce dans la matière, que son mystère dédaigne être percé. Pendant un an, il recommence, il s'entête. Et enfin il parvient à photographier un flocon de neige, le premier qu'on ait jamais pris.

Alors, il se lance dans une quête formidable, minuscule et formidable. Il photographie des centaines de flocons. Miracle. Il n'y en a pas deux qui se ressemblent. Et pendant que Buffalo Bill, de ville en ville, lève son stetson dix fois, cent fois, dans le ronron des applaudissements, Wilson découvre une infinie variété derrière ce qu'il croyait semblable. Il découvre que ce qui paraît à première vue identique, indiscernable, eh bien, vu de très près, lorsque le vent fouette, que le froid vous mord, si on arrête un instant de respirer, si on se blottit tout au creux de ses impressions, alors cela se sépare, se particularise, se distingue. Et on ne sait même plus s'il existe bien quelque chose que l'on peut appeler la neige, les flocons de neige, car ils sont tous différents, égaux et dissemblables, étrangement singuliers.

La nature est un spectacle. Oh, bien sûr, ce n'est pas le seul. La pensée aussi. Et il y en a d'autres. Et Wilson, le toqué du Vermont, conçoit soudain que la vie est un grand disparate, que les flocons de neige, comme les traces du ballon sur le mur de la cour, il n'y en a pas deux pareils. Et voici qu'il se met à scruter les gouttes d'eau, la vapeur, le brouillard, tous ces phénomènes infimes, imprédictibles, impondérables. C'est extraordinaire une goutte d'eau, sa transparence trompeuse, son galbe, ses renflures, ses incroyables reflets. Il n'en revient pas Wilson. Ça le sidère toute cette richesse qui se cache. Et il ne comprend pas pourquoi on ne regarde pas mieux, pourquoi on ne se penche pas davantage sur les pommes de pin, les écorces d'arbre, les petits galets de la rivière. La légèreté le fascine. L'inconsistance le laisse démuni. La douceur le charme.

Et pendant que les Américains s'agitent de toutes parts, qu'on court aux quatre coins du continent fouailler la terre, racrasser les failles, fonder une banque, montrer ses guibolles, et qu'on se heurte à ses désirs comme à des haies de pierre, Wilson reste dans le Vermont, bien sage, dans la ferme de ses parents. Il regarde. Il ne fait que ça. Et il prend des centaines de photographies, écailles de pomme de pin, fibres de mousse, pétales de fleur, coquilles d'escargot, lichens, il s'intéresse au nain, à l'infime, au rabougri. Mais ce qui l'ébahit le plus, ce qui l'éberlue, le magnétise, ce sont ces choses qui fondent, qui coulent, qui ruissellent, qui brûlent, qui dégèlent, qui s'éteignent, qui se cachent, qui s'évanouissent. Ce qu'il trouve le plus beau, le plus saisissant, ce sont les choses qu'on ne peut regarder très longtemps, qui ne se répètent pas, qui n'arrivent qu'une fois, là, pour vous, une seule fois, et ne durent qu'un instant. Puis disparaissent. Voilà ce qui l'intrigue. Il ne voudrait pas en rater une seule. Il voudrait toutes les prendre, en garder quelque chose, une empreinte, une trace, un souvenir.

Oh, il doit être un peu fou, Wilson Bentley, c'est possible, oui, un peu fou. Il se tient seul pendant des heures, allongé sur une claie, entre le tintement imperceptible des flocons sur une plaque de verre et je ne sais quel cri tout au fond de lui. Et s'il aime photographier les écailles, les plumes, les graines, il a un faible pour la neige. Car la neige, c'est à la fois doux et froid, beau et terriblement impérieux pour l'homme. Cela recouvre tout. La neige est là, immobile, tenace, enveloppant la surface du monde, éblouissante et morne.

Et ce que Wilson redoute le plus, c'est de rater un flocon, un seul, de ne pas saisir

chacune de ses particules dansantes, aérien-
nes, célestes, presque immatérielles. Il a l'impression, allongé sur sa claie dans la cour de
la ferme, d'effleurer, du bout de sa pince à
épiler, le suprasensible. À peine se penche-
t-il sur son petit cristal, le dernier tombé du
ciel, la petite miette de météore, qu'il se vola-
tilise. Il faut faire vite. Très vite. Si l'on veut
graver sur sa plaque photographique cette
existence unique, son empreinte qui sera sa
tombe, son livre en quelque sorte, comme
une sensation passagère qu'on voudrait fixer,
eh bien, il faut se tenir prêt, à l'affût, atten-
tif, délicat. Sur les rares photos que je
connais de lui, Wilson est sous la neige,
devant sa ferme, il est en train de photographier un flocon, il sourit.

Sans qu'il le voulût, ses clichés devinrent
célèbres, ils furent connus dans le monde
entier. Il fit paraître dans le *National Géo-
graphic* de sublimes photographies sous le
titre : "La beauté magique de la neige et de
la rosée". Il y évoque les chefs-d'œuvre de la
nature qui dépose négligemment, sur les
vitres de nos chambres, des formes d'arbres,
de fougères, de coraux et de dentelles.

On raconte qu'il jouait de la clarinette et imitait les oiseaux, les dindons, les grenouilles. C'est peut-être vrai. Sa fantaisie est indiscutable, mais on a dû sans doute un peu broder. Il photographiait le sourire des jeunes filles, mais de ces photographies-là, pas une n'est restée. Il notait tout, le temps qu'il faisait, les vêtements qu'il portait, les faits divers du jour, combien de litres de lait sa ferme avait vendus, tout et rien. Pour lui les moindres détails avaient leur importance. Mais l'essentiel de sa vie s'était concentré dans les yeux. Wilson était tout entier dans le regard, comme si vivre consistait à voir, à regarder, comme s'il était hanté par le visible, qu'il y cherchait quelque chose éperdument. Mais quoi ? Peut-être rien. Juste le sentiment du temps qui meurt, des formes qui défaillent.

Vieillissant, il tenta l'impossible, il voulut photographier le vent. Or, la photographie tue tout ce qu'elle attrape, le mouvement meurt dans son panier. Et même le cinéma n'y peut rien. On ne peut filmer que les effets du vent, non pas le vent lui-même. Il essaya. Je ne connais pas ses photographies de la brise ou du blizzard ; je ne veux pas les connaître, je les imagine. Un peu plus tard, il photographia aussi les gouttes de rosée. On dit qu'il les guettait le matin sur les pattes des sauterelles.

C'était un conteur invétéré, il collait des lampions au plafond, jouait au croquet dans la salle à manger et confiait aux enfants des lambeaux de sa philosophie fantaisiste et joyeuse. Il adorait le cinéma. Fan de Mary Pickford, il ne ratait jamais ses films et jouait de l'orgue durant l'entracte. Amoureux d'une institutrice, Mina Seeley, il se serait, dit-on, contenté de graver d'un doigt ses initiales sur une vitre. C'est déjà beaucoup.

Il vendait ses clichés à cinq *cents*, et puis on en retrouvait les motifs reproduits sur des bijoux très chers, chez Tiffany. Il ne connut ni la richesse ni la gloire. Après la mort de ses parents, il vécut seul dans une petite partie de leur maison, ses frères et sœurs occupant le reste. Un beau jour, à l'âge de soixante-six ans, tandis qu'il se promenait dans la neige, à dix kilomètres de chez lui, le froid lui pénétra les os ; mais il voulait encore voir quelque chose, absolument, une très belle stalactite de glace sur une branche de pin. La tempête se leva. On l'appela. Mais il regardait encore. Il regardait la forme si fine et si gracieuse de ce morceau de glace, sa tige frêle, mince, sensible, sa frange vaporeuse. On le porta chez lui inanimé. C'était la veille de Noël. Lors de son enterrement, on raconte qu'il neigeait.

TABLE

CRÉDITS PHOTOGRAPHIQUES

BABEL

Extrait du catalogue

OUVRAGE RÉALISÉ
PAR L'ATELIER GRAPHIQUE ACTES SUD.
ACHEVÉ D'IMPRIMER
EN JUIN 2016
PAR NORMANDIE ROTO IMPRESSION S.A.S.
61250 LONRAI
SUR PAPIER FABRIQUÉ À PARTIR DE BOIS PROVENANT
DE FORÊTS GÉRÉES DURABLEMENT
POUR LE COMPTE
DES ÉDITIONS ACTES SUD
LE MÉJAN
PLACE NINA-BERBEROVA
13200 ARLES.

DÉPÔT LÉGAL
1re ÉDITION : AOÛT 2016
N° impr. : 1601957
(Imprimé en France)